EL HERMANO ASNO

EDUARDO BARRIOS

EL HERMANO ASNO

SÉPTIMA EDICIÓN

EDITORIAL LOSADA, S. A.
BUENOS AIRES

Edición expresamente autorizada para la
BIBLIOTECA CLÁSICA Y CONTEMPORÁNEA

Queda hecho el depósito que previene la ley 11.723

*Marca y características gráficas registradas
en la Oficina de Patentes y Marcas de la Nación*

Séptima edición: 17 - XI - 1975

Ilustró la cubierta
SILVIA BALDESSARI

Impreso en la Argentina
Printed in Argentina

Se terminó de imprimir
el día 17 de noviembre de 1975
en Artes Gráficas Bartolomé U. Chiesino S. A.
Ameghino 838 - Avellaneda
Buenos Aires.

La edición consta de
diez mil ejemplares.

Sobre la primera página de este manuscrito, en una esquina con una tinta muy aguada y en caracteres diminutos, como si Fray Lázaro lo hubiese querido decir al oído, había estos versos de Nervo:

"¡Oh, soñado convento
donde no hubiera dogmas
sino mucho silencio...!"

—Fray Lázaro, en la última festividad de Nuestro Padre San Francisco hizo siete años que entró usted en el convento —me recordó esta mañana el Provincial.

Sí, siete años. Y como ya estamos en noviembre, llevo ahora siete años y un mes de franciscano. Sin embargo, aún no me siento un buen fraile menor.

¿Debería, Señor, colgar ese sayal?

Pero..., ¿cómo, si conozco el desencanto hastiado a que conducen todos los caminos del mundo? Para el hombre que mucho vivió, Señor, toda senda se repite, y de antemano cansa.

¿Y adónde ir entonces, si tan rendido estoy?

¡Ah!, y yo sé además que existe la amargura desconocida, la inesperada, en el mañana de todos los caminos. Este solo pensamiento me angustia, Señor. Acobardado, sólo quiero el albergue donde mejor reposa el corazón y más denso se hace el ensueño.

Aquí he de permanecer, pues. Amo la humilde casa de Nuestro Padre..., y amo, con no sé qué debilidad, esta hora en el huerto.

Vengo diariamente, mientras duermen la siesta mis pacíficos hermanos, y me tiendo sobre la tierra áspera, bajo el cielo suave. Así es, Señor, suave tu reino, áspero el suelo de los hombres.

Hoy el calor nos agobia en el refectorio. A Fray Pedro, a quien le tocó ser el lector, la voz se le apagaba en el sueño. A ratos alzábala su esfuerzo; pero luego caía otra vez, semejante al surtidor de una fuente cuando le va faltando la presión.

También aquí, en este pequeño huerto encajonado entre claustros, el aire se detiene, se ablandan de calor las hojas y la hierba se tiende lacia. Hasta la mirada se afloja. En aquellas plantas de tuna centellea el sol: deben de estar calientes los carnosos medallones y resecas sus espinas. El claustro escaldado refulge, solitario; y aun las palomas y los pájaros se han escondido.

Veo la fila de puertas de las celdas herméticas e imagino a los frailes durmiendo una siesta sofocada.

¡Soledad bajo el sol! De los viejos claustros sale a esta hora caliente un efluvio antiguo, pasa bajo las arquerías, entre los pilares panzudos, y se une a la atmósfera del huerto, que sube como el vaho de un gran bostezo.

Y heme aquí, Señor, como todos los días, mal contento de mí. Indudablemente, no soy un buen franciscano. Y empiezo a temer que nunca lo sea. Tarde vine acaso a esta santa morada. El mundo, las gentes, aquel descalabro... ¡Sobre todo aquel descalabro!... asentaron en mí excesiva experiencia; y no puedo ser simple como un buen fraile menor debe ser. No soy inocente, no soy ingenuo. La inocencia es un vacío defendido por el velo de la ingenuidad; y las vicisitudes rasgan ese velo, nos hacen receptivos, y el vacío se llena de conocimiento. El conocimiento conduce a la claridad; pero a la plenitud franciscana, a la Gracia, nunca.

Ya deben ser casi las tres. El aire refresca. Sueltan el agua, que corre por ese pequeño lecho de piedrecillas limpias. Los pájaros han vuelto, cantando frenéticos; y una flor blanca, que no había visto yo antes, ha abierto cerca.

He de irme a mis oficios y dejar esta paz, esta espontánea actividad silvestre que envidio.

¡Arroyo transparente, ancha flor blanca que te abres en la tarde, pajarillo hirviente de música, rogad por el hermano Lázaro, que os envidia! Dais vuestro perfume lento, vuestro humilde canto de agua clara, vuestra alegría sin dirección, y no os inquietáis por el provecho de vuestros dones. Sois indiferentes, y la indiferencia os entona en la imperturbable serenidad natural. Ignoráis, y vuestra ignorancia alcanza la perfecta sabiduría. Por vuestra falta de interés entráis en Dios. ¡Rogad por mí!

No sé si me oís. Pero me levanto del suelo y, a medida que sacudo las briznas prendidas a mi sayal, siento una gratitud pura en el ambiente y esta gratitud me penetra. Hay olor a tierra que se moja, a retoños que se refrescan... Allá pasa el hermano Juan, con los hábitos arremangados y las piernas velludas despeinando el herbazal. Lleva una cacerola blanca, como su alma.

Hermano Juan, tú que tienes alma de cacerola blanca, ruega también por mí.

A la madrugada, de noche aún, me han despertado unos golpes suaves, muy discretos, dados en la puerta de mi celda.

Era el Padre Guardián.

Habían venido a llamarle del Hospital de San Juan de Dios, para confesar a un moribundo, y buscaba mi compañía.

El hospital está a media cuadra de nuestro convento. Pero al Padre Guardián le agradaba sobremanera salir siempre a estos paseos con un fraile a su izquierda.

Me he levantado de prisa, a la luz de mi lamparilla de aceite, que ilumina el costado herido de mi Señor Crucificado, y hemos ido al hospital.

Mientras el Guardián confesaba al enfermo, allá en el fondo distante de una sala sin fin, yo me he paseado por el parque oscuro. Hacía frío; el cielo estaba encapotado, negro, compacto; faltaba mucho aún para que abriese el día, y el mundo se me antojaba oculto dentro de una flor cerrada.

Recé allí, de memoria, mis horas canónicas de la mañana; desde la prima hasta la nona.

Luego hemos vuelto. No he querido acostarme otra vez, pues faltan apenas dos horas para el coro, y me he puesto a reflexionar acerca del Guardián y de mis otros hermanos.

Reflexiono y veo que no los amo.

¿Y cómo, Señor, sin amarlos podré decir que os amo a Vos?

No debía conocerlos tanto. Sin el análisis, los amaría; y amándolos, me vería menos solo. El conocimiento eleva, Señor, pero las cumbres se hallan siempre solitarias.

Hasta hoy, cada vez que he conocido muy a fondo a

las personas, las he sentido desprenderse de mí. Bien pudieron haberme inspirado respeto o aprecio después de su pleno conocimiento; pero siempre este pleno conocimiento mató el interés y sólo me quedó el despego de las cosas muy conocidas.

Espero amor, Dios mío, porque me siento muy solo y el amor es la Gracia.

Bajo hasta las gentes. Perdono con el alma conmiserada. Y nada más. Aún no tiembla de amor mi alma por tus criaturas.

Hay aquí algunos frailes buenos, de corazón humilde y alma ardiente, pero con una inteligencia sumisa que no satisface a quien precisa también admirarlos. No viven en tu Divina Gracia, Señor, porque no inflaste sus mentes en el fuego sacro y carecen de intuición para ganar las cimas del espíritu. Hablo de Fray Luis Bernardo y aun de Fray Rufino...

¡Fray Rufino! En éste sí, por momentos, al mirar sus ojos perdidos en una nebulosidad sin fondo, creo distinguir cierta visión anticipada de los hechos significativos, alguna primitiva y sutil sensibilidad para las cosas eternas. Únicamente a él veo cerca de aquellos doloridos y bienaventurados de los campos de Asís y de Perusa, los seráficos frailecillos menores.

Otros... ¿cuántos?... ¡oh, demasiados!... llenan una comunidad de frailes sin fervor, atareados en sus oficios con celo funcionario. Son joviales: ríen, placenteros y amables, con las visitas, a las que atienden con esmero, más aún, con alegría, con esa alegría que suele causar todo cuanto a la vida vulgar trae alguna novedad entretenida. Trabajan sin descanso; aunque a menudo se quejan del mucho afán, echando de menos la servidumbre, cada día más escasa, de legos y donados.

¡Esos hermanos legos, Señor, que no logro acercar a mí, con su fea humildad de inferiores y su familiaridad un tanto descomedida!

Suelen hacerme gracia estos hermanos legos. Una gracia incómoda. En el coro, rezan entre suspiros, y bufidos, se suenan a todo pulmón, tosen, sudan, resoplan. Diríase que funcionan a vapor.

Prefiero mirar las manos ociosas del Guardián, blandas, pálidas, regordetas.

Yo le digo siempre:

—Usted, Fray Luis, tiene manos de señor obispo, hechas para bendecir saliendo de los pliegues rígidos del brocado, para colorearse de reflejos la pedrería de los indumentos, para poner una interrupción de marfil en el oro del báculo.

Él me clava el correctivo de una mirada muy seria; pero sonríe por dentro.

Y desde que le dije esto por primera vez, se cuida mucho las manos; y cuando viene hacia mí, ellas le preceden.

Sin embargo, hay bajo esa suavidad de fortaleza...

Voces... Interrumpamos...

¡Ah, deben ser los dos legos viejos que rondan el amanecer, apagando los mecheros!

Pero el tono es de alarma, de alarma y de hallazgo.

Entreabro mi ventana.

Allí están. Veo sus cabezas gordas y morenas, metidas en los capuces; sus hábitos castaños, cortados en la cintura por la línea blanca del cordón. Pintan dos manchas densas en la gris sucesión de las columnas del claustro, que al entonarse en la transparencia lila del alba, toman un diáfano azul de bruma.

—Eso no es santidad ni es nada —exclama el más viejo.

Comprendo. Han cogido a Fray Rufino en alguna inverosímil mortificación de la carne. ¡De su carne ya tan flaca, Señor!

¡Oh, *sine mente caput, vigiliis et inedia multa exhaustum*!

No le veo a él. Se halla tras el pilar, al parecer. Ni

distingo sus palabras. Suena su voz apenas, como un gemido lejano y bisbiseante.

Los legos continúan con enfado:

—Levántese de ahí.

—Aunque sea verano, hermanito. ¡María Santísima! El tiempo amanece estos días muy malo.

—Hay mucha humedad, Fray Rufino. ¡Acostarse así en el barro! Y apuesto a que ha pasado aquí toda la noche.

—¡Miren! Morado está, entumecido.

—Y con estos fríos anda mucho mal de tripas. Todos estamos sufriendo retortijones y aprietos de carrera en las madrugadas.

Se lo llevan. Le suben el capuz. No alcancé a ver su rostro. Entre los dos corpachones, va él, como un sayal vacío.

La verdad es que en presencia de estos actos de Fray Rufino quedo atónito. Me paraliza el asombro. Peor: quedo como un estúpido.

Y al reconocer, Señor, que le has elegido, llegó a considerar tu Gracia como algo no deseable.

¡Oh, cabeza sin juicio y enflaquecida por el ayuno!

Vuelvo de dar mi clase de Historia Franciscana a los novicios y encuentro aseada mi celda.

No me sorprende: Fray Rufino me tiene habituado a este regalo matinal. Se siente unido a mí como a nadie en el Convento, porque ambos permanecemos sin recibir las órdenes. Nos quedamos diáconos; yo, por los escrúpulos acerca de mi pasado mundado y pecador y por la vacilante depuración de mi alma; él, porque a causa de su vivir penitente no pudo concluir los estudios.

La mañana está fresca, centelleante y pura, como la voz de un pájaro. He abierto mi ventana y mis puertas de par en par, y entran olores jóvenes que aspiro hasta el fondo de mis entrañas.

No tengo nada que hacer, ningún asunto pendiente, ningún sentimiento en el pecho. En nada pienso. Nada deseo. Veo limpio el aire..., los aires, hasta el azul; limpio el jardín, donde todo luce niño y ligero; limpia mi celda, y están limpios mis sentidos, mi conciencia y mi sensibilidad.

De modo que soy feliz.

Esto es la felicidad, Señor, una limpieza de fuera y dentro, y sentir el alma fresca y transparente, hecha un cristal muy fino al cual llegan suavemente sensaciones suaves, semejantes a seres simpáticos que se nos aparecen sin que los esperemos y con el rostro sonriente y claro:

Me voy. El huerto llama en momentos así. Quiero andar, cubrirme de luz bajo este sol benigno, y llevar pegada a mis sandalias tierra oscura y esponjosa, y asomarme al pozo y ver su fondo que copia el cielo como un alma inocente, humilde y silenciosa.

Fui.

No hay olor a flores, en el huerto; hay un olor verde, a legumbres vivas.

Metiéndome por la hortaliza, me he sentado entre las coles y he acariciado largo rato un repollo gris y luciente, como si le hubiesen plateado, un repollo duro, hinchado, con la vida de un cuerpo.

Todo entraba nuevo por mis sentidos limpios y ávidos.

Fray Bernardo ha colgado en el marco de su puerta una jaula de cañas donde un jilguero salta.

Una paloma muy blanca bajó del olivo viejo, se posó en el brocal del pozo y se puso a beber el agua estancada en los maderos carcomidos, sin cuidarse de que el hermano Juan subía el cubo para llenar una escudilla de greda.

Por fin, me pongo de pie, abro las manos, cierro los ojos y levanto al cielo la cara; y el sol resbala su tibieza entre mis dedos, la derrama por mis facciones inmóviles, pasa a través de mis párpados y toma posesión de mis venas como una divinidad del bienestar.

Comprendo, Señor, el placer que su Divina Clemencia reservó para los ciegos.

De pronto he abierto instintivamente los ojos, y he visto a mi lado al hermano Juan. Traía el cántaro de greda y le he pedido de beber.

Señor, el agua delgada y casta entró por mi boca, bañó mi pecho y llegó hasta mi corazón.

—¿No sabe, Padre Lázaro? —me ha dicho después el hermano Juan—. Un milagro. ¡Un verdadero milagro! Fray Rufino..., lo acabamos de ver..., pone un plato de sobras en su celda y se juntan a comer allí, como grandes amigos, los gatos y los ratones.

—¿De veras? ¡Alabado sea Dios, hermano!

He debido exagerar mi asombro. Con perentorio pestañeo y cándido enarcamiento de cejas, los ojillos celestes del buen hermano Juan me lo exigían.

—De veras, Padre. ¿Y qué se imagina usted que dijo al vernos tan edificados y temblando? Que no era nada, que hacía un siglo, en Lima, lo había conseguido ya un beato dominico, y que él sólo había pedido al beato su intercesión a fin de obtener para nuestro Convento igual merced. ¡Mire que decir que no era nada!... ¡Un milagro! Así lo porfiábamos nosotros. ¡Un milagro! Y él entonces se ha confundido y nos ha recomendado mucho que nos callemos.

—Pero ustedes ya se lo tendrán contado a la comunidad entera, seguramente.

—En alabanza de Nuestro Señor Jesucristo se han de contar siempre estas cosas. Que las sepa el siglo. ¡Ah!, pero hay más todavía: les hablaba, mientras ellos comían. ¡Les hablaba a los ratones y a los gatos, Padre Lázaro! Si me parecía estar oyendo leer las *Florecillas*, cuando Nuestro Padre San Francisco les habló a los pájaros. "En adelante, les decía, no van a ser enemigos, que es contrario al amor de Dios el que sus criaturas se odien y se devoren las unas a las otras." ¿No es un santo? Y con las plantas tiene la misma piedad. ¿Ve, Padre, ese vástago que apunta el jazmín? Pues, señor, él vio el otro día que brotaba y que medio lo habían tronchado, y le amarró esas tablillas y le pegó esas champitas del barro para que se curase. Sabe Dios qué milagro nos resultará de ahí también.

Sí, hermano Juan, todo esta mañana fue un milagro.

Los donados han cogido una lechuza en la torre y la tienen ahora encaramada sobre una viga del claustrillo. Esta tarde acudimos varios frailes a verla.

Y he aquí que en medio del regocijo y la broma Fray Elías me lanza una sandez.

Como es un fraile sin ensueños, sin pasado, sin escrúpulos, ignora cómo se languidece por ansias del alma, qué durable tortura dejan algunos actos en la conciencia y cuántas horas hay durante las cuales quema el sayal como un nuevo error cometido.

De suerte que ha podido comparar la lechuza con "las almas que se roen a sí mismas en la sombra"; y ha podido también, cuando le he replicado, decirme con airecillo de aburrida sorna:

—Déjese de tonterías, hermano. Se entra en el sayal en definitiva, y se canta misa, y se sirve a Dios con sencillez, con alegría, con fuerza, como un hombre.

Luego se ha puesto a recordar a Nuestro Padre. Que si la parábola de la alegría perfecta, que si llamó a la melancolía "la enfermedad de Babilonia"...

Y esto me ha enfadado. No era para tanto, sin duda. Pero es que al hablarme bajaba los ojos irónicos, fijándolos en los dedos de mis pies, cosa que me pone siempre muy nervioso, y acaso por esto tuve poca paciencia y lo traté mal.

¡En fin! Como en todas partes, no falta en el Convento algún mal rato. Pero Dios también rompe el suelo antes de arrojar la semilla, y así, es en los malos ratos cuando a menudo siembra sus mejores enseñanzas: ¿no me ha servido este disgusto para descubrir a Fray Bernardo el aspecto más angélico de su alma?

Al ver mi violencia, le ha citado a Fray Elías, muy dulcemente, estas palabras de Nuestro Padre de Asís: "A nadie, sin ser probado por tentaciones y tormentos, le será dable llamarse verdadero siervo de Dios; pues las tentaciones y los tormentos vencidos funden el anillo con que se desposa Nuestro Señor con el alma de su siervo." Y luego, cogiéndome por la manga, me ha llevado consigo, hasta el claustro de San Diego, donde hemos hablado del amor a nuestros hermanos en Jesucristo.

Fray Bernardo tiene un rostro de sesenta años apacibles, todo sonrosado por venillas, un cerquillo muy blanco en torno a la tonsura calva, y unos ojos claros que esconden su bondad temblorosa tras unas gafas azules.

Y este dulce viejecito ama a los hombres. ¿Cómo, por qué los ama? Porque los ve niños. Usa para ello un procedimiento: mira sus rostros con la imaginación, no con los ojos, evoca los semblantes que a los diez años debieron tener; y las facciones, retrotraídas a la infancia, para él se refrescan entonces, se hacen de nuevo tiernas, débiles y mueven al amor.

¡Caritas infantiles, buenas caritas de diez años, cuán inofensivas debéis aparecer al otro lado de las gafas azules con que el dulce viejecito os mira! Todas. Porque todas, aun la vuestra, mujer pervertida, y la tuya, hombre amargado e irascible, mostraréis entonces, superpuesto al semblante adulto de hoy, aquel otro de ayer, aquel que las manos de una madre acariciaron y que seguramente más de una vez castigó también alguna palma endurecida e injusta.

De este modo, Fray Bernardo siente hacia los hombres un amor casi maternal. Fray Bernardo es un corazón que comprende lo cual es más que un cerebro que comprende, y un corazón que mide cuán indefensos permanecemos durante la vida entera en medio de la gran Naturaleza.

Por eso además, habla este viejecito como habla, henchiéndose de una ternura aguda, de una de esas ternuras que llegan a sentirse como un dolor.

Evoco sus palabras:

"Sí, maravilla, Fray Lázaro, la infinita candidez de los hombres. Las más de las veces actúan como criaturas inocentes, tan irresponsables de sus faltas como de sus buenas acciones. Obsérvelos. No precisan siquiera el esfuerzo mental de cambiar sus rostros. Continúan niños en sus afanes. Caminan de aquí para allá, sin cesar se mueven, realizan mil cosas encantadoramente inútiles; muchos se suponen trabajando y no hacen sino jugar al trabajo, o a lo más, satisfacer necesidades superfluas que ellos mismos se crearon; y todo esto, por un exceso de vida que Dios les dio y ellos necesitan gastar. Hablan del día a la noche, repitiendo ideas caseras, pequeñitas, vestidas con palabras igualmente reducidas y domésticas, ideas y palabras que aprendieron de otros que a su vez las adoptaron por simple espíritu de imitación. O bien, analizan, con la misma seriedad ingenua y curiosa con que desarmábamos cuando chicos el reloj de nuestro abuelo..., para no saber reconstruirlo después. En ocasiones, ¡cómo inventan! ¡Cuántas tonterías inventan! A las cuales dan hasta trascendencia filosófica en sus sueños pueriles. Yo recuerdo las maquinillas que inventaba en mi niñez, con lápices de pizarra, carretes de hilos, cajas de fósforos. ¡Oh, podían servir para muchas cosas! Y para nada servían. Y a cada paso pelean, por futilezas y caprichos, y pegan, y se reconcilian como colegiales, como lo que son. Por último, en las noches se acuestan cansados: los ha rendido una ineficacia que no entienden. Pero Dios les envía la noche. La noche, como la penumbra de un regazo, los acoge, los cubre y los aduerme. Tienen, además, lo triste: se enferman y padecen desgracias que no sé por qué hayan merecido; y algunos las sufren con tanta debilidad, que nos arrancan las más conmovidas plegarias. ¿Cómo, Señor, a Vos Todopoderoso, ellos tan pequeñitos pueden haberos ofendido? Este hombre, esta mujer, aquel otro, aquel niño enfermo, ¿qué han podido haceros? Y esos pobres que por las mañanas mendigan en nuestra portería: se acaban de levantar y ya están cansados. ¿Por qué la existencia para ellos se arrastra como un cansancio largo? *Fiat voluntas tua!* . Pues, ¿y cuando ejecutan algo bueno? Tan poca responsabilidad suele haber entonces de su parte, que nuestra exclamación lleva mucho de lástima: ¡Pobre, qué bueno es!, decimos."

—Cierto —he agregado yo aquí—. Porque los compañeros del Pobrecito de Asís, y él mismo, ¿qué eran sino niños en la más pura simplicidad?

Pero Fray Bernardo ha sabido responderme. Ha levantado un índice hasta la altura de sus gafas, me ha mirado por encima de los cristales y, blandiendo el dedo en advertencia, me ha dicho:

—Sí, niños simples; pero lea bien las *Florecillas;* hacen una simpleza, o la dicen, y se siente en sus corazones al Cristo vivo.

¡El Cristo vivo! Sentí ganas de gritar.

Fue un instante. Después...

¡Dios mío, se analiza! Se analiza..., y al cabo lleva la razón Fray Bernardo: analizamos con la misma curiosidad ingenua con que desarmábamos cuando niños el reloj de nuestro abuelo..., para no saber reconstruir luego nada.

Líbrame, Señor, del análisis; él mata la instintividad de las acciones. Hazme claro y simplifícame. Dame la simplicidad que nos liberta de las limitaciones personales.

Sé que os amo, Señor. Sé que os amo porque os reconozco en lo más interno, oscuro y originario de mí; pero necesito descubriros asimismo en todas las almas, donde también debéis hallaros.

Para esto, avienta de mí el análisis; torna aformes mi juicio y mi sentimiento y deja que pueda en todo instante adaptarme a todas tus criaturas. La adaptación destruye el error de diferenciarse y determinar la identificación, que es la larva del amor perfecto.

Analizando, Señor, nada sabe al fin tu humilde siervo. En el bien y el mal, acaso no haya sino la manifestación opuesta de tu Designio total en lo creado.

Analizando, Señor, los moralistas, doctos en orgullo, pretenden interpretarse, sin ver que fragmentan tu total Designio, que individualizan lo universal y apenas consiguen al fin erigir en ley el engendro de su ética. Poseen apenas un concepto humano del bien, un concepto humano del mal... y unas cuantas pasiones que gobiernan el juego.

Tiene razón Fray Bernardo, Señor. Son niños, los hombres, y siempre se quedan con las piezas sueltas del reloj entre las manos desencantadas o ineptas.

Has de hacerme, Señor, impersonal e ingenuo, identificado y humilde. Actuaré entonces sin concepto y con el corazón libre. No amaré en Ti a los hombres, como hoy me figuro amarlos; en ellos te amaré a Ti. Como los simples de Asís, tendré al Cristo vivo en mi alma simplificada. Habrás enviado así a tu siervo la Gracia; y como el aire en los tubos del órgano de nuestra iglesia, adaptado a todas sus formas, cantaré siempre la nota justa que te glorifique.

Buena te la han jugado los hermanos ratonzuelos, Fray Rufino. Tenemos ya una invasión de ellos en el Convento.

Y el Padre Procurador, el hermano guardadespensa, el Padre Sacristán y aun los cocineros entablan a estas horas reclamaciones ante el Guardián, porque los gatos no cazan desde que les enseñaste a comer con los ratones en el mismo plato.

—¡Es insoportable! —protestan airados—. En pocos días, esos bichos lo han invadido todo. Hay ya una plaga, ¡una verdadera plaga!

—La procura está hecha una lástima.

—¿Y mis víveres?

—Pues, ¿y la cera, y las hostias, y el aceite?

—Hasta la carne amanece roída y sucia. La leche, llena de cagarrutas.

Agitadísimos, tratando de revestirse de la mayor indignación posible, entraban hace un momento en la Guardianía. Uno propuso que también el Provincial interviniese.

No sé, no sé, Señor, en qué pararán estas misas. El hermano Juan, la otra mañana, bajo el júbilo de este "milagro", comentaba la curación de Fray Rufino al vástago que apuntala el jazmín, y decía: "¡Sabe Dios qué prodigio resultará de ahí también!" Me atrevería yo a pronosticar hoy que por tan inmoderada conducta de los hermanos ratonzuelos, va Fray Rufino a pasar un rato amargo....

¿Cómo pueden parecerse tanto dos criaturas?

Porque no era ella, no. Demasiadas veces la he visto después de mi descalabro. Está muy cambiada; el matrimonio, los ochos años transcurridos... No, ésta es otra.

Ésta que me ha mirado en la iglesia es ella misma, pero a los veinte años, cuando yo puse mi corazón indefenso en su regazo, y ella, a la menor seducción exterior, convertida de pronto por aquel pianista en niña fascinada que corre tras una brillante quimera, lo dejó caer.

Pero es idéntica, maravillosamente igual. ¿Quién es, Señor, quién es?

Fray Rufino y yo íbamos a comulgar. Salimos juntos de la sacristía en dirección a la santa mesa. En esto, miro hacia los fieles, y un flúido —su mirada— coge la mía que vaga, y la sujeta, fijo en esas pupilas de un rubio tostado, ¡en aquellas, Dios mío, que yo solía comparar con dos abejas ardientes!

¡Cómo se ha turbado mi espíritu entonces!

Fue una resurrección de mi tragedia, una resurrección cual jamás antes la hubo en mí. No, nunca. Y es que de los dolores horribles, de aquellos que se alzaron espantables en un momento único de nuestra vida, no nos acordamos siempre bien, y precisa una nueva lanzada, cuyo golpe destelle un relámpago para que por unos instantes se ilumine la memoria brumosa y la tragedia resurja íntegra y repentinamente rediviva. Lo que sucedió esta mañana.

¡Oh, cuánto sufrí!

Ya en el comulgatorio, de espaldas a esa niña, vine a comprender: mi alma, llena de su turbulento pasado, tan mundana de súbito, Señor, no podía recibirte.

Huí hasta la puerta de la sacristía, donde no sé por qué me detuve.

¿Qué hice allí después, atónito, oprimiendo con toda la fuerza de mis dedos inquietos las cuentas de mi rosario? Preguntarme como ahora: "¿Quién es, Señor, quién es?..." Como ahora, buscar en el recuerdo y en la imaginación una rendija de luz, tan inútilmente como el preso da vueltas a su calabozo y no halla sino el muro gris, compacto, impenetrable; y mirar a Fray Rufino: él os aguardaba, Señor, con la faz sonriente, los ojos cerrados, hundidos, en eterna visión de beatitud.

Aún me parece ver, Fray Rufino, tu cabeza de un tono aceituna verde, inclinada sobre el lino del santo mantel que tus dedos toscos y ennegrecidos sostenían. La tonsura mal rapada, el cerquillo ralo y negro, la cara un poco deforme, con hondas cuencas y huesos filudos, alumbraban, cubiertos de una extraña y espiritualizada belleza; y al entrar la Forma blanca en tu boca y cerrarse con amorosa reverencia tus labios prietos, ocurrió algo augusto, impresionante de piedad.

Tú, Fray Rufino, aprobarás siempre al hermano Lázaro. No estoy perdido, no. Ya ni siquiera he de inquirir más quién es esa criatura. Todo mi ayer ha muerto. Aquellas ilusiones no son ya sino fantasmas sin vida que apenas oscilan en mi recuerdo, y toda mi vieja esperanza yace hoy entre los sentimientos humanos que me ataban al mundo, como un cadáver entre cadáveres.

Por muchos días me ha faltado el ánimo para escribir. Pero ya Dios ha querido calmar aquellos fondos revueltos, y me hallo al fin tranquilo.

Tuvimos, en cambio, dos novedades esta semana: la venta de medio convento —empezará en breve la demolición— y el cumplimiento de mi pronóstico sobre Fray Rufino.

Esto, en particular, sirvió para distraerme.

Esperaba yo una tarde en mi celda que los demás se recogiesen a dormir la siesta para ir a pasar mi hora cotidiana en el huerto, cuando diviso varios frailes arremolinados en el claustro de enfrente. Los jardines del patio dejan un gran claro por el cual me permiten ver desde mi ventana buen trecho de ese claustro, su parte central, donde ahueca su bocaza enarcada en el muro gris una vetusta escalera que sube al otro piso.

Algo sucedía, pues era inusitado aquel agitarse. Miro bien y los reconozco a todos. Puedo decir que los tengo muy próximos.

Allí están Fray Pedro, el Sacristán Mayor, flaco y largo, con el sayal demasiado corto y el cerquillo recortado muy en lo alto de la cabeza, y el Padre Procurador, repantigado dentro de sus hábitos abundantes, bajo los cuales se le ocultan los pies, y el hermano guardadespensa, cuya cabeza sale hacia adelante y cuya nariz gorda y formidable avanza erguida como un puño que amenaza, y también el hermano cocinero, el de la carota fofa sentada encima del enorme tronco y en la que los párpados son dos bolsitas que se entreabren apenas.

Todos se aglomeran, rebullen, se inquieren. Sí; ventilan algo a la vez deseado e intranquilizador. Rodean nerviosos a Fray Pedro, quien de rato en rato separa del abdomen los brazos, como cuando al oficiar gangosea su *Dominus vobiscum.*

Pronto se les agrega Fray Elías; va de uno a otro, averigua, y sonríe siempre. ¡Como si lo viera! ¡Oh, su eterna sonrisa, agresiva y doble, de irónico simulando inocencia! Se me representan aquellas cejas de asombro y aquellos ojos que parecen poner suspensivos a continuación de sus miradas, y aquel labio trompudo y aquel aplastado mentón. Esto, unido a mi sospecha de lo que sobrevendrá, me impele a ir, al menos a observar desde más cerca.

Y salgo.

Rondo por el jardín, giro en torno a la imagen de Nuestro Padre. Los minutos se alargan. ¿Me habré engañado? ¿No vendrá Fray Rufino? Finjo revisar las plantas, pero mi atención sigue allá.

La luz del sol baja oblicua sobre el claustro y estampa contra el suelo y el muro la sombra de los pilares y de la arquería. En el amplio descanso de la escalera hay un viejísimo lienzo, y entre la tiniebla trágica de su fondo renegrido amarillean las carnes de Nuestro Señor atado a la columna.

Fray Luis, el Guardián, se pasea frente a la sala capitular. Está en el secreto; pero él desea esperar solo, aparte, investido así de un mayor gobierno. Por un instante, coloca un dedo como señal entre las páginas del breviario; se suena con el gran pañuelo que surge y se vuelve a meter por las honduras de la manga; las manos —sus manos— abren de nuevo el libro, y en tanto no han cesado los labios de mascullar. Yo lo miro... Tiene tan blancos los pies como las manos... ¡Con qué simpatía lo miro! Y ello me libra siquiera unos minutos de la torpe vibración que me viene del grupo.

Al cabo aparece Fray Rufino por el recodo de la escalera. Baja los anchos peldaños enladrillados, y su raído sayal y su cordón de nudos cuelgan dulces y píos cubriendo su pobre esqueleto.

Los frailes le ceden paso, le dirigen hacia Fray Luis; luego tornan a reunirse y le siguen.

Una oleada interna me ahoga.

Ya están allí todos. El Guardián levanta la cara. Su ceño, que tan pulcramente pellizcan de ordinario los lentes, ahora es duro, reprensivo, severísimo.

Los frailes se han colocado en semicírculo. Son los colegiales que acusaron y presencian el castigo tras el maestro vengador, habría dicho Fray Bernardo sonriendo.

Yo no podía sonreír. Tuve piedad, y tuve cólera; y al advertir la violencia del Guardián, tuve además estupor. Su palabra es por lo común grave y enérgica, pero llena de suavidad; se hace imposible no acatarla; y así la Obediencia, administrada por él, jamás azota. ¿Por qué azotaba esta vez, y al más sumiso?

¡Oh!, fue duro, cruel con Fray Rufino. Golpeaba; golpeaba su voz, su gesto, sus ademanes perentorios.

Y el simple frailecillo recibía manso la reprimenda, solo, a pocos pasos, inmóvil, las manos cruzadas sobre el pecho y ocultas en las bocamangas, abatidos los párpados, las facciones cubiertas de silencio.

Prefiero no haber distinguido aquellas frases.

Cuando, acercándome paulatinamente, llevado por mis nervios, me junté al grupo, ya Fray Luis concluía:

—La vez anterior, creí bastante la protesta directa de los padres. Hoy se lo prohibo yo, en nombre de la Santa Obediencia. Conque ahora, ipso facto, tira usted lejos ese plato, esas sobras, esas... porquerías, y pone fin a este disturbio de nuestros servicios. Ya se habrá convencido de que los "hermanos ratonzuelos" resultan insoportables.

—Él dice que soportándolos cumplimos con la Humanidad, y no poniendo interés en lo que atesoramos, cumplimos con la Pobreza. ¡Caramba, cumplan con la Pobreza los ratones!, digo yo.

—N...o. No he dicho eso precisamente, hermano.

—En último caso —terminó el Guardián— no ignora Fray Rufino que las virtudes franciscanas son tres: ésas y la Obediencia. Lo sabe usted, supongo. Pues obedezca. Son muy incómodos, demasiado incómodos esos milagritos, por milagros que sean. ¿Estamos? Perturban la marcha regular de nuestra Casa, perjudican a la comunidad discreta, alteran el orden establecido...

—Son revolucionarios —insinuó con su perenne risilla Fray Elías.

Y yo, sin poderme contener:

—Los ratones deben esperar a que, por evolución, los gatos no se los coman...

—Por lo menos, para realizar estas domesticaciones, debemos esperar nosotros a que los ratones no se coman los víveres —añalió el Guardián, sin caer en la cuenta—. Debería Fray Rufino haber empezado por instruir a los "hermanos ratonzuelos", por enseñarles a... a...

—A respetar los víveres sagrados de las jerarquías en que Dios estableció a los superiores en la creación...

Al oírme esto, Fray Luis me miró severo. Había comprendido ya, y salvaba el peligro llamándome a la estrictez de la Regla.

Sobrevino un silencio.

Fray Rufino, cuyo pecho se había ido cargando de un peso fatigante y cuya simplicidad teníale los ojos arrasados, parecía querer hablar.

Su emoción se impuso a todos, y anhelamos su voz.

—Considero —dijo al fin— mi insuficiencia y poca virtud, y lloro por merecer tan poco favor de Dios, que aun persiguiendo el amor entre las criaturas incurro en pecado.

—El error acogido sin tener conciencia de él, con deseo sincero y puro del buen camino, es inocente delante de Dios, hermano —repuso el Guardián—. Váyase tranquilo.

Fray Rufino se humilló en un mudo deseo de obediencia y se marchó.

También el Guardián, dichas sus últimas palabras, volvió la espalda y se metió en la sala capitular. Es su procedimiento favorito ante las rencillas de los frailes; para ellos, esta manera de retirarse, sin un gesto, resulta imponente. Refieren que más de un fraile, de veras humilde, ha ido a disciplinarse en su celda cuando ha merecido uno de estos silencios hostiles.

Todos se dispersaron, pues, cabizbajos.

Yo alcancé a Fray Rufino. Sin aludir a lo sucedido, le di las gracias por el aseo de mi celda.

Y lo he dejado poco después partiendo la leña a los cocineros.

Pues bien, he aquí el epílogo de la reprimenda a Fray Rufino. Comprendo su franciscana esencia, me conmueve su aroma de humildad y candor; pero... ¿Seré yo algún día...?

No soy un buen fraile menor, no.

Lo anotaré sin comentario; reconociendo tan sólo que hay en el Padre Guardián, escondida bajo el gobernante, un alma probada, un alma que por anhelo de fortaleza y perfeccción no rebulle en la superficie y se cubre con su propia llama.

Ayer le acompañé a La Granja. Volvimos ya muy avanzada la noche. Y al regreso, cuando nos hallábamos a unas cuadras del Convento, me decidí a realizar mi propósito de tantos días. Quería descubrir qué pudo moverle a tanta dureza con el pobre frailecillo; y le dije, como quien toca al azar un asunto sin importancia.

—¿Sabe, Padre? Fray Rufino ha pasado estas mañañas partiendo leña para los cocineros, arreglando la procura, barriendo a Fray Pedro la sacristía y cambiándole aun el aceite de las lámparas.

Bastó. En el acto he notado que resucitaba en él un serio disgusto y que le subía del corazón una exasperada tristeza.

—Sí, Padre Lázaro —me ha respondido—. No necesita contármelo. También advertí la piedad y el cariño con que usted le alcanzó aquella tarde. Y esto, créame, se lo agradecí mucho, mucho.

—¡Pse! Lo hice...

—Porque debió hacerlo. Bien mirado, debí hacerlo yo. Había sido injusto con él. Pero es que ciertos hermanos, Padre Lázaro, poseen la especial facultad de sacarme de quicio. Tanta queja, tanta rencilla... ¡Señor! ¡Señor!

Me enturbian, y olvido que la verdadera pobreza del fraile menor ha de residir en el espíritu.

Yo, entonces, arrepentido de haber escarbado en su tribulación oculta, le he querido distraer y me he puesto a definirle a Fray Rufino, uniéndole al recuerdo de los seráficos de Asís y al juicio de Fray Bernardo: hacen una simpleza, o la dicen y, sin embargo, sentimos que en sus corazones está el Cristo vivo.

Pero en vez de calmar, le produje la misma quemadura mística recibida por mí al oir estas palabras. Su pecho estranguló sin duda el mismo grito. Lo sentí exaltado repentinamente; y aunque no supimos hablar más, durante todo el camino me llegó indudable la certeza de que su exaltación crecía.

¿Procedí mal despertando por mera curiosidad una pesadumbre acaso vencida ya en él? Tuve un súbito arrepentimiento, lo confieso.

Al fin, llegamos. Temblaba la luz de la calle y la escasa y humilde clavazón de nuestra vieja puerta se iluminaba y desaparecía. Di tres golpes con la aldaba y esperé.

A poco percibí los pasos del hermano portero. El palmotear de las sandalias se detuvo junto a la puerta; por la rendija inferior salió un resplandor amarillo y se tendió en las losas; luego chirrió en la cerradura la gran llave y el negro zaguán nos acogió en su sombra.

El lego nos fue alumbrando con el farol hasta fuera del locutorio. Allí nos entregó una linterna y desapareció.

—Apague la linterna, Fray Lázaro; no es necesaria —me pide el Guardián.

Yo la apago. Y no sé por qué sigo a su lado, en lugar de quedarme en el patio grande, donde está mi celda; él, sumergido en su emoción, tampoco me despide. Cruzamos, siempre en silencio, un claustro. Al abocar el primer pasillo, la oscuridad es tal, que nos exige medir los pasos y avanzar a tientas. Y de pronto, algo nos detiene.

—¿Ha sentido usted, Padre?

—Sí. Como el aire movido por una puerta que se abre y se cierra...

—Encienda usted ahora.

Enciendo y... nadie.

—Ha sido aquí, la despensa.

La puerta de la despensa está, en efecto, sólo entornada. La abrimos, y el cono de la linterna se proyecto sobre Fray Rufino.

—¡Usted!

—¡Sí, Padre!

—Pero, ¿aquí a estas horas?

—No. Sí. Es decir, yo les diré... Es que los ratones... Es que, como han venido tantos, la verdad, el hermano Ignacio se molesta con razón... Y yo, un rato los espanto; luego exhortándolos, pidiendo a Nuestro Señor... puedo, se me figura, remediar mi...

—¿Y vela usted toda la noche?

Fray Rufino, confuso, no sabe si reir, si llorar, si pedir perdón, como un niño cogido en falta. Y cuando yo he creído encontrar una excusa para él, Fray Luis me ordena recogerme y dice a Fray Rufino:

—Dios ha querido, hermano, que venga yo a compartir con usted la penitencia. Soy un indigno guardián de frailes, pues no supe tener contentos a los más sin sacrificar a los mejores.

Y ha caído de rodillas.

No logré presenciar el resto; pero esta mañana lo avergüé con Fray Rufino.

—¡Ah, Fray Lázaro! —me ha dicho—. Ejemplo, modelo, espejo de virtud es nuestro Guardián. Ya lo vio usted anoche, ya lo vio usted. Ha velado conmigo, lleno de tribulación. Le parecía mucha su inepcia, ya que no conseguía satisfacer a todos los frailes. Luego, al amanecer, a mí me ha rendido el cansancio y me he quedado traspuesto. Pero entonces tuve un sueño. Veía caminar a Fray Luis por el bosquecillo de La Granja, y, de improviso, las resinas de un pino comienzan a inflamarse, irradian un resplandor y forman una nube dorada y olorosa como el incienso. En medio de esta pompa, Nuestro Señor Jesucristo se aparece a Fray Luis. "¡Padre y Salvador mío, Pastor amantísimo, socórreme! —le implora nuestro Guardián entonces, sobrecogido y postrándose en tierra—. ¡Sin tu ayuda sólo hay tinieblas y angustias, confusión, ceguedad y vergüenza para esta pobre ovejuela tuya, aunque indigna de Ti!" Nuestro Señor nada le responde. Únicamente le mira, le mira, muy triste. Los divinos ojos lloran, las mejillas veneradas se bañan de lágrimas, el sacratísimo cuerpo se dobla y gime. Por tres veces, Fray Luis ruega y se humilla. "Divino Maestro, ilumíname; ignoro cómo debo gobernar a mis frailes para que todos vivan en armonía y amor, unidos y sin queja los unos de los otros. Necesito de Ti el consejo, la palabra de Verdad. ¡La palabra de Verdad! ¡La palabra de Verdad!" Por tres veces, Padre, como le digo, insistió en la súplica. Y al cabo habló Él: "Sí, ya sé que padeces, hijo; ya sé que te martiriza muchos días el no poder contentarlos a todos. Pero..., en esto, la palabra de Verdad es de amargura. Ni yo, que bajé al mundo a morir en una cruz por la felicidad de los hombres, logré contentarlos a todos. Hube de volverme con mi sufrimiento, y este sufrimiento aún mantiene la lanza en mi corazón y la esponja de hiel en mis labios. Ya lo ves. Tu dolor es también el mío. Yo sufro como tú. Sufro tanto, hijo, que me llego a preguntar con frecuencia: ¿Vale la pena ser Dios, cuando nuestro poder no basta para contentar a todas las criaturas? He aquí la palabra de Verdad. ¿Vale así la pena ser Dios?..." Y no quiso decir más. Sus lágrimas fluyeron con mayor abundancia, y repitiendo: "¿Vale la pena?... ¿Vale la pena?..." se fue alejando hasta perderse en las alturas.

—Y usted, hermano, ahora piensa que...

—¡Ah! Yo no pienso. En religión, mientras menos se piensa más se sabe. En todo caso, para pensar tiene la Iglesia sus doctores. Yo, Fray Lázaro, un pobre frailecillo, no puedo hacer otra cosa que abrir mi corazón al Corazón de Jesús, y obedecer ciego, con la humildad de Nuestro Seráfico Patriarca. Nada más. Y mi corazón me dice ahora que Nuestro Señor Jesucristo, anoche, ha querido significarnos que sirviendo precisamente a esos descontentos es como lograremos curar sus heridas. Así lo entendió también el Padre Guardián cuando le conté mi sueño. Sí, Fray Lázaro; cerrar los ojos y servir, servir. ¿No le parece? ¿O vamos a tolerar que Él sangre eternamente por la soberbia de sus hijos, y hasta el extremo de preguntarse si vale o no la pena ser Dios? ¡Que no vale la pena ser Dios!

Dos semanas de afán, y hemos vaciado media casa, toda la sección vendida. Nos falta sólo descolgar los grandes cuadros, únicos habitantes ya en esos claustros de tres siglos. Los coristas, con sus padres maestros, se han ido a nuestro convento de La Granja; los novicios, a la Recoleta. Apenas permanecerán con nosotros en este Convento Máximo los niños del postulado seráfico.

Y todo está hecho. Pueden venir los obreros a demoler. El lunes, mañana. "Cuanto antes", opina el comprador.

Yo, durante el crepúsculo, he recorrido esos claustros vacíos.

El silencio que hay ahora en ellos no es fácil definirlo. Es una quietud externa y una agitación interior. Oprime, intranquiliza. Los pasos resuenan demasiado; dan tumbos sus ecos por las galerías. Ya no acompañan los cuadros; lúgubres, suelen parecer una amenaza entre las sombras. Los patios, como agrandados, no amparan; impulsan a correr hasta la celda, para sentir la protección de las cuatro paredes reunidas y la compañía de las cosas familiares.

¡Y cómo crece el misterio en los jardines agrestes! Ese misterio de la vida recóndita, que penetra, frío, y muerde las entrañas.

Nada me desasosiega tanto como la tierra húmeda y la fronda inmóvil cuando está oscureciendo. Por esto me refugio en el claustro de San Diego. Se me antoja más seguro.

Pero tampoco allí me detengo. Pasa un vientecillo arrastrándose, arremolina el polvo a lo largo del corredor, y, como un duende, va a esconderse allá... ¿dónde?... no se ve. Sin moverme, no resistiría la angustia que fluye de todo esto, y camino.

Camino para animar la soledad y el silencio, sobre las losas vetustas por donde fueron paseados tantos místicos dolores, entre las arcadas bajas y los muros seculares, bajo las pequeñas vigas retorcidas por los años, como los huesos de los viejos, bajo las grandes vigas labradas en que tantos gemidos penitentes se enredaron.

Y en todas partes silencio y soledad.

Sólo en las pinturas quedan formas humanas: rostros orantes y contemplativos, imágenes de monjes que inmovilizan sobre la tela el fervor atormentado o la paz seráfica. Allá, un cielo turbulento, una cruz borrosa, unos miembros lívidos y unas llagas oscuras. Más lejos, en trofeo, los instrumentos del martirio: la lanza, la escala y la caña con la esponja de hiel y vinagre, donde se mire, lienzos, lienzos en profusión, antiguos lienzos de mano cándida, que representan un milagro y tienen, tras los personajes principales del cuadro, una multitud que presencia, pintada sin relieve y amontonándose en una perspectiva equivocada. Y todo entre tonos que fueron brillantes e ingenuos y son hoy púrpuras opacas, negros cenicientos, blancos de rancia cera.

Dejo esta vacuidad helada, envolvente y angustiadora, para desembocar en el huerto. A él iba, por despedirme de él he venido. Pero lo miro apenas un instante, bajo las estrellas, que ya empiezan a temblar en el cielo desteñido, y me voy.

Me ha ocurrido con el huerto lo que con las personas muy amadas cuando se nos van de viaje; rondar en su proximidad y ocultarnos después, sin fuerzas para una despedida.

El padre Guardián opina que no fue sueño el de Fray Rufino en la despensa la otra noche, sino visión de éxtasis.

—Porque no estaba traspuesto —explica—. No. Más bien parecía en elevación o en trance...

Luego, con la cabeza baja, se queda mirando a un lado, como si buscara en el suelo la claridad del recuerdo; y al fin, entornando los párpados por un instante como si se le fuera la cabeza, concluye:

—¡Pse! A esas horas, entre aquel hacinamiento de cosas, sin más luz que la linterna escondida tras un barril, ¿quién se convence de nada?... No obstante, yo juraría...

Sea como fuere, lo cierto es que la especie ha corrido, esparciéndose con la rapidez de un perfume violento, y que el frailecillo, a quien muchos tenían por un ente demasiado simple, se cubre de prestigio. Hay ya quien le observa de lejos, como guardándole cierta distancia reverencial. Se divulgan ahora sus rarezas entre los hermanos terceros y en las conversaciones de los frailes con las damas en el locutorio. Cuando pasa entre los fieles, en la iglesia, deja tras de sí este murmurio que es el rastro de los santos. Y esta mañana, el buen hermano Juan decíales a unas viejas en la portería:

—Será otro santo de nuestra Casa, un nuevo Fray Andrés Filomeno García.

Las beatas se volvían unas hacia otras y, entre cabeceos de asombro, se repetían: "Otro Fray Andresito. ¿Ajá? ¡Otro Fray Andresito!"

Yo me he dado el gusto de referírselo a Fray Elías, de ponderárselo y... ¡Dios me perdone!... de refregárselo en las narices...

¡Otra vez, Dios mío!

Estábamos en el coro, a la hora de la meditación. El sol, un sol caliente de atardecer, caía tendido por el vitral policromo, y nuestros sayales castaños se teñían de reflejos violetas, anaranjados, azules. Yo sentía el calor sobre mi brazo, sobre mi nuca. Los frailes, en fila delante de la baranda, permanecíamos inmóviles, saturados de unción. Poco a poco, nuestros pechos habíanse ido vaciando de conciencia, aligerándose en una dulzura que nos elevaba. Allá, abajo, lejos, desde la tarima del altar mayor, el humo del incensario, puesto ante el Santísimo, empinábase quieto, delgado, recto hasta lo alto; empinábanse las llamas de los cirios, y nuestros cuerpos, ingrávidos, diríase que adelgazados, como las llamas de los cirios y como el humo votivo, empinábanse también hacia Dios. Era todo una oración armónica que subía en el grave recogimiento del templo cerrado, inmenso y hueco, lleno de silencio, de penumbra y de santidad.

La columna de humo, ya en la altura, se torcía en ancha comba, para venir hacia el coro, atravesando el vacío. Una golondrina se había metido en la nave y cortaba en vueltos violentos la senda de humo, para ir a chocar desatentada contra las filas de canes retorcidos que sostienen la gran techumbre plana de la iglesia.

Yo era feliz, blandamente feliz; tanto, que luego dejé marcharse a mis hermanos y quedé solo allí, hasta que abajo abrieron la puerta de la iglesia, hasta que llegaron al coro los legos para rezar su *Pater Noster*.

Los bancos, abajo, se fueron poblando. Pronto se oyó, en la nave izquierda, invisible para mí, un murmullo coreado: el rosario que dirige Fray Bernardo a los fieles.

Y de repente...

¡Dios mío! Esa que volvía la cara a cada instante para mirar al coro, ¿era ella?

¿Y quién es esa criatura, Señor? ¿Por qué me persigue? ¿Por qué mira siempre adonde yo estoy?

Entrábamos al coro de media tarde y ocupábamos ya la vieja sillería tallada, cuando Fray Rufino descendió a prisa de su sitial.

Repentinamente se detuvo y se acercó a Fray Elías para decirle algunas palabras. Luego volvió a bajar hasta el órgano y cambió del lado derecho al izquierdo la tablilla *Hic est chorum.*

A Fray Elías corresponde saber que esta semana el coro es a la izquierda, e indicarlo con la tablilla. Pero se había descuidado; y, precisamente por esto, la diligencia del frailecillo lo enfadó.

No sé qué dijo. Sólo noté su mal gesto y oí que Fray Rufino entonces, con voz dolorida y ojos de piedad, le contestaba:

—No, Padre; lo hago por cortesía, porque Nuestro Señor San Francisco nos manda ser corteses.

No hubo más. Rezamos. Vísperas, completas, maitines y laudes. Fray Rufino, muy atribulado, rezó con un fervor que sólo en él se ve.

¡Oh, a veces, con qué intensidad reza este hermano! Se demacra. Siente uno impulsos de prevenirle con ternura que aquello le hará daño.

Después, concluido el oficio, como inconsolable por haber dado una lección de humildad a un fraile, fue a rogar aún en el altarcillo de la Inmaculada que tenemos arrimado al órgano; y con tal maña hincó sus rodillas, que sus tibias sonaron contra el canto filudo de la tarima.

Lo hizo a propósito, por humillación y penitencia. Y yo sufrí aquella lastimadura con un dolor agudo en mis entrañas conmiseradas... y con un rencor ácido contra Fray Elías.

Este hermano me molesta demasiado, Señor.

A menudo, cuando me hallo en el refectorio, me figuro estar encerrado dentro de un viejísimo arcón de tablas carcomidas y resecas, olorosas a pan añejo, a menestras y a cecinas.

Todo allí es rancio y pardo. Pardos se han vuelto con la edad los ladrillos del piso, y la cal de las paredes, y el techo de pesada vigazón; pardas son las mesas de pino desnudo —y toscas y con sólo dos patas que se clavan en el suelo—; pardo el púlpito flaco y desvencijado —que ya se inclina mucho, Señor, como el esqueleto de un anciano—, y aun parda se tamiza la luz por las ventanas de vidrios polvorientos.

No hay en el Convento estancia que con mayor y más obligada minuciosidad miremos los frailes. Doce mesas corren a lo largo de los cuatro muros, arrimándose a los escaños; en ellas jamás sentáronse comensales sino a un lado solo, pues durante las comidas la Regla nos vedó el hablar; y así, los ojos mejor actúan y mejor registran.

Siempre uno de nuestros hermanos lee, mientras los demás comemos en silencio. Baja desde el púlpito su voz para recordarnos el santo del día y el martirologio. Aquel son untuoso y de ritmo austero debe caer como seráfico alimento para las almas que pudieran en tales instantes ser dominadas por la gula.

Oyendo cómo los menores que acompañaron al Esposo de Madama Pobreza mezclaban ceniza y estiércol a sus potajes, nuestros platos han de parecernos excesivo regalo, a fin de que lejos de anhelarlos más finos, lamentemos con dolor su limpieza y suculencia.

Para Fray Rufino han sido siempre manantial de inspiración estas lecturas. Sé que al escuchar cómo San Cristóbal, aquel mozo cándido de corazón y de fuerza muscular extraordinaria, desuncía los cansados bueyes de las carretas para tirar él de la carga, cómo relevaba en sus menesteres a los sirvientes valetudinarios y cómo llegó en ocasiones a tomar a los asnos en sus brazos potentes para evitarles la fatiga de los largos caminos, Fray Rufino se iluminó de proyectos aliviadores para los oficios de los frailes, los legos y los gañanes.

¿No propuso cierto día, a imitación de Fray Junípero, guisar el puchero una vez para toda la semana, aunque no ya cociendo gallinas con tripas y plumas, sino en la forma aseada "que por desgracia exige —según dice él— este siglo de las bulas, de la molicie y del microbio"?

Pero... sin necesidad, y sin habérmelo propuesto, me he deslizado a narrar. Aunque... lo celebro. Inconscientemente quería resbalar otra vez por el plano inclinado, ya muy semejante al chisme, en que vengo vaciando mi negación de amor a Fray Elías. Y no está bien.

¡Ah, Señor, soy un pasional! Siempre lo sentí cuando mundano. Y ahora, en este ambiente de reposo y elevación, en lugar de exaltar y dirigir mi fuerza de corazón hacia esa feliz subconsciencia donde se realizan los contactos místicos con Dios, me veo a punto de rebalsar en pasioncillas feas.

Basta. Olvidaré lo que pensaba escribir.

Evocaré tan sólo, para sojuzgar mi soberbia y poca piedad, el inocente, angélico, inefable rasgo que Fray Rufino supo hallar, como explicación y desagravio a ese malhadado fraile, por su mal recibida obsequiosidad de ayer en el coro.

No fue sino esto:

Habíale tocado ser el lector durante el almuerzo, y como concluyera demasiado pronto añadió la anécdota de la vida de San Francisco, según la cual visitó el Santo con uno de sus compañeros a un hidalgo muy cortés, y por cortés hízole fraile y por cortés alcanzó éste la perfección.

Leyó con sencillez; pero su voz tomó una encantadora

entonación de himno jubiloso al llegar a estas palabras de Nuestro Padre:

"—Sabe, hermano amadísimo, que la cortesía es una de las cualidades de Dios, quien da el sol y la lluvia a los justos y a los injustos por cortesía."

¡Señor, si yo aprendiese de él, sin sonreír interna y profanamente cuando su franciscano candor me conmueve!

—¡Eh! ¡Pst! ¡Padre! ¿Qué hace usted?

No me oye.

Hará media hora que lo veo en trajines. Ha sacado al patio una gran imagen de talla, la de nuestra Señora del Rosario que antes de la demolición estaba en la enfermería. Y primero la ha remecido, como para que cayese algo metido en ella; y aquello, que deben ser muchas cosas muy pequeñas, ha caído; y entonces él se ha quedado como pensativo un rato, y ha vuelto a introducir muy cuidadosamente todo eso dentro de la imagen. Luego ha corrido no sé adónde, para reaparecer con la alcuza del petróleo; pero tampoco ha resuelto nada con esto.

No entiendo.

Ahora examina el suelo musgoso del patio; busca, sin duda, restos de eso que antes cayera de la imagen. No encuentra más. Permanece dubitativo. Por fin, vuelve a coger en brazos de la Virgen, como quien coge un cadáver y se marcha con ella.

Voy a ver.

Tuve que seguirle hasta la parte demolida. ¡Oh, cómo está aquello!

Al llegar me hallé con la Virgen sola, sobre unos grandes terrones. Sin embargo, pronto regresó él. Traía una brazada de tablas nuevas.

—¿Qué hace usted, Fray Rufino? ¿Se puede saber?

—Vea, Padre Lázaro. ¿Se acuerda de esta Virgen? Pues ¡mire cómo estaba de polillas! Perforada entera, echa un colador. Lo noté ahora, pasando por la sacristía, donde la hemos colocado mientras tanto. Y, naturalmente, me dije: Voy a sacarle estos gusanos. Cogí este punzón, llevé petróleo, sacudí la imagen. Cayeron, Padre Lázaro, cientos de gusanillos. Unos gusanillos blancos, vivísimos, muy graciosos. ¡Pobres! Se estiraban y se encogían en el suelo, como unos locos...

—Y le dieron pena.

—Así fue, Padre. Y ahí tiene que me ha faltado el valor para rociarlos o para pincharlos y reventarlos con el punzón, hasta para abandonarlos en el suelo húmedo y frío del patio. ¡Pobrecitos!

—¡Los hermanos gusanillos!

—Así los habría llamado nuestro Padre y como a tales debemos tratarlos.

—Pero se van a comer la imagen, se van a comer a la Santísima Virgen. ¿A ellos los echaba usted hace un momento dentro de la imagen otra vez?

—¡Ah! Sólo provisionalmente. ¿No ve? Aquí he conseguido estas tablas, nuevas, olorosas... Sabrosísimas deben ser. Vaciaré a Nuestra Señora hasta del último pobrecito inconsciente de éstos, y a ellos los dejaré sobre estas maderas. Las horadarán muy pronto y tendrán alimento, casa, abrigo en ellas.

Lo he mirado trabajar en su obra largo rato. Con un amor, una ternura, un temblor de alma elegida, que me maravillo aún.

Me ha traído una emoción muy bella en el espíritu.

Tanto es así, que no he sufrido al ver cómo ha quedado en un mes aquello que constituyó medio Convento. Ya ni escombros hay. Del huerto, apenas resta la palmera vieja, la enorme, la de cien codos: se alza flaca y solitaria en la gran pampa arrasada, y la cercan de lejos murallas traseras de las casas vecinas. Está sola bajo el sol.

Hace una tarde luminosa. En el cielo, muy azul y muy lejano, vagaba la luna, esa blanquísima luna diurna, delgada, transparente e incompleta, como una hostia desgastada.

¡Ah! y allá, sobre la trasera de una casa, en un corredor alto con baranda, completando el conjunto de la pampa vacía, de la palmera y del cielo, se divisaba una muchacha. Su traje blanco flameaba. Y era una visión leve, leve y diáfana como la luna en el día.

Debí acertar antes. Un olvido así apenas se concibe. Aunque, la verdad, como ella dice, nos veríamos en total unas seis u ocho veces...

Bien. Ya sé al menos a qué atenerme. Y esto, algo significa.

Vagaba yo por la parte demolida. Me había explicado poco antes el Padre Guardián las dificultades surgidas con el comprador, a quien, según parece, el conflicto europeo arruina; y considerando el peligro que corre nuestra venta y la circunstancia de suspenderse desde luego las nuevas edificaciones en estos terrenos, me provocó asomarme al solar abandonado.

Era mi antigua hora del huerto, por lo demás. Un sol tórrido, africano, caía sobre la tierra y producíase allí una armonía amarilla, con un bello encanto de fortaleza dormida. Atado a la palmera solitaria y altísima estaba el asno de la limosna, pequeñito, agobiado por el calor. De rato en rato, tendía las orejas contra el suelo y rebuznaba de sed, y al estrépito de los rebuznos, alzábase del suelo una parvada de palomas e iba a cruzar en un vuelo claro el cielo encendido de sol.

Me acerqué al pozo. No lo han cegado y conserva su brocal. Di de beber al borriquillo con el cubo de la noria. Luego, al distinguir que junto a una pared ha quedado una mata de jazmín, quise regarla. Lo hice; y en esto me hallaba, cuando oigo que de arriba me llaman, por mi nombre del mundo:

—Mario... ¡Mario!

Alzo la cara. Un breve instante, el necesario para fijar la vista sobre una figura de mujer apoyada contra la baranda que limita el muro, tardo en reconocer a la joven que siempre me mira en la iglesia.

Todo mi ser tembló de súbito. La sangre se me detuvo en las venas, dejándome flojos los miembros, saltante el corazón, el cerebro oscurecido. Aquella lanzada, cuyo golpe relampaguea para iluminar repentinamente la memoria del dolor, despertó una vez aún mi tragedia. Y balbucí algo, confuso, sin poder, no obstante, articular una palabra completa.

Ella insistió, afable y natural:

—¿Cómo está, Mario? ¿No se acuerda de mí?... Mario... ¡Por Dios, Mario!...

—Le ruego —logré decir— que no me llame de ese modo. Mario no existe ya.

—¿Cómo?

—Fray Lázaro. Padre Lázaro. Éste es hoy mi nombre.

—¡Ah! Cambian ustedes...

—Aunque no se acostumbre entre los franciscanos, yo he debido cambiar.

—Bien. Pero ¿me conoce?

—Ciertamente, no recuerdo.

—¿Quién creyera? Míreme bien. A ver. Y ahora, ¿se acuerda?

Siguió preguntándome, con infantil empeño. Trataba de hacérseme muy visible. Tan pronto erguíase como descolgaba el busto por encima del barandal.

—¿Nada? ¿No acierta?

¡Oh! ¿Cómo decirle que su rostro vive dentro de mí, imborrable, martirizador, eternizado? Porque es idéntica. Si yo no atendía casi a lo que me hablaba; tal emoción me causó el parecido asombroso. Aquel óvalo puro y prolongado en punta de almendra; aquel mismo pelo, broncíneo y a ondas; y su misma garganta, suave, alta y llena, rítmica en los movimientos; y aun el color de nardo y las cálidas ojeras que envuelven los ojos pesados de pestañas. Todo igual, Señor. La poca altura de ese corredor me permitió verla muy bien. Todo exacto. Pequeñita, con no sé qué de íntimo, reunido y caricioso en la silueta; y en la carnación, a la vez fina y rolliza, la tierna morbidez de esas italianas del Renacimiento que el Veronés solía pintar.

¡Pero, Señor, si también descubro en ésta repetido el afán por escotarse!

Para vencer mi trastorno, preciso que ella me repusiera en la realidad presente.

—Responda, Mario, Padre Lázaro, diga: ¿se acuerda o no ahora?

—Sí, quiero hacer memoria. Su semblante me es conocido, diría yo que familiar. Sin embargo...

—Mal fisonomista. ¿Y cómo yo, apenas lo vi una mañana en la iglesia, lo reconocí? En el acto me dije: ¡Bah, Mario! No vacilé, a pesar de esa cabeza rapada y ese aspecto tan... tan así... tan distinto al que tenía...

Me sonrojé. Por primera vez en estos siete años, me ruborizó mi aspecto. ¿Por qué, Dios mío? ¿Por qué sufría una impresión de ridículo? Perdóname, Padre mío San Francisco. Frente a todos sabrá tu siervo, con orgullo, levantar esta cabeza desfigurada por amor de la santa humildad.

—¿No cae? No cae.

—En efecto, no caigo —declaré, algo molesto por la observación sobre mi tonsura.

Poco debía durar esta actitud, que al fin y al cabo me daba una posición espiritual. Se me reservaba la más recia sacudida:

—De la calle B... no se habrá olvidado.

¡La calle donde fracasó mi vida mundana!

Ignoro cómo, con el corazón en la garganta y un frío de vértigo en el cuerpo y en las sienes un violento latido, resistí cuanto esta niña quiso rememorar. Hubo un momento en el cual temí que mi turbación delatase todo mi dolor redivivo. Pero reflexioné a tiempo que nada pone tan impenetrable nuestra fisonomía, como el gesto de la beatitud, y lo adopté.

—¡Ah! Va sospechando —continuó ella—. ¡Claro! Fíjese bien. ¡María Mercedes!, la hermana de Gracia. No me reconoce, porque yo entonces tenía sólo doce años, y como estaba interna en las monjas, me veía un rato cada mes. Y eso, la noche que usted no se atrasaba en su visita, porque a las nueve me recogía yo al colegio. Además... Aquello... fué cosa de nueve o diez meses a lo sumo. Nos encontramos, pues, muy poco.

—Muy poco. Es natural entonces que...

—Natural: me borré de su memoria. Yo, en cambio, no me olvidé. Es que lo quería mucho, Mario. ¡Oh, cómo lo quería! ¿Creerá que lloré a mares al saber que eso había concluido? ¡Pobre Mario! ¡Y pobre Gracia! La pobre no ha hecho su felicidad con el matrimonio. Ahora le pesa su conducta con usted. Yo lo sé, porque dos o tres semanas atrás hablamos largo. Comprende que a su lado la vida sería hoy muy diferente.

—Tiene sus hijos...

—En fin, tiene siquiera sus hijos. Vendimos nuestra casa para darle a ella, o al marido, su parte. Por eso vivimos aquí ahora, en la calle Serrano. Cuando nos mudamos, el mes pasado, y caí en la cuenta de que frecuentaría la iglesia de ustedes, tuve una cierta alegría. Veré a Mario, pensé. Lo distinguí una mañana. Usted me miró. Parece que iba a comulgar, pero se fue de repente. Y desde ese día me dieron unos deseos de hablarle... Voy muy a menudo a la iglesia. Lo busco en los oficios. Averigüé si confesaba. Me dijeron que no. ¿Es cierto?

—Cierto. No confieso. Aún no canto misa.

—Una tarde lo divisé en el coro. Y luego, viendo esto devastado, me he puesto a espiar el sitio. ¡Qué ganas de verlo! Hasta que hoy vengo a encontrarlo. Gracia me pregunta siempre: "¿No lo has visto?"

Quise irme. Se me ocurrió en este punto que un peligro me cercaba. ¿Qué deseaban conmigo? ¡Pse! Tonterías. Seguramente, una mera curiosidad. Pero en ese momento me entró un desasosiego tal, que hilvané cuatro vulgaridades corteses y me despedí.

—No se vaya todavía —me suplicó—. ¿Y cómo le va

en su nueva vida? Será muy estricto el Convento, leerá mucho. ¿Siempre escribe? Le gustaba tanto la literatura... ¿Recuerda que me regaló *El niño que enloqueció de amor*? Sí. Y lo conservo con su dedicatoria. ¡Qué divertida me resulta hoy esa dedicatoria a una chicuela "colegiala que ojalá no sea tan romántica como su hermana". Así me puso. ¿Se acuerda? Y a Gracia ¿no la ha divisado nunca?...

Durante minutos interminables, acribilló aún mi pobre alma con interrogaciones. Y no estaba yo para enredarme en peligrosas charlas. Imploraba sólo a Dios una oportunidad para retirarme. Él me oyó.

Suena de pronto una campana, pretexto que me llaman a oficios y me voy, huyo, más bien.

La noche fue horrible, llena de torturas, dudas, figuraciones, temores. Llegué a imaginar que esa niña era enviada por la otra, quien, arrepentida, me requería. Después, soñé que ésta me... ¡Bah!... ¡Locuras!, que hoy me dan risa. ¿Cómo podría ya pensar aquélla en mí? Ni yo en ella. Y esta ingenua María Mercedes ¿qué más tendrá sino una simple curiosidad de niña? Que me tuvo cariño, dice. ¡Afectos infantiles! ¡Cosas de chiquillas! Que Gracia no es feliz. Rogaré por sus vicisitudes.

Sí. Por suerte, con el día la lucidez y la paz han vuelto.

Y en último término, pese a Fray Elías, yo he vestido este sayal en definitiva; y el mundo ha muerto para mí; y sólo amo esta santa Casa, donde Nuestro Padre reduce los peligros, donde todo anhelo se purifica y donde mejor reposa el corazón.

En realidad, era una niñería tomar por lo trágico el encuentro. Carece de importancia en absoluto. Aquello pasó y su recuerdo no debe ya dominarme.

Para vencer esa ridícula zozobra, para fortalecer mi espíritu y afirmarlo en el renunciamiento, volví hoy al solar. Y he hablado con ella otra vez, alegremente, naturalmente, como corresponde.

¡Qué niña es! ¡Y qué bien se veía! Tan clara, tan diáfana, de pie tras la baranda; tan fina y ligera sobre el muro pesado y áspero. Con aquellas ropas de verano, contra el cielo fulgurante de luz, ponía un destello rosa en el aire. Hablaba, y su voz también era un destello. Y eran pequeños destellos blancos los jazmines que desde la mata miraban a la altura.

Es muy niña. Me acerqué hasta quedar debajo de ella y la saludé sonriente. Ella se recogió entonces con gracia las faldas, apretándolas entre sus piernas, cual si temiera que el viento se las moviese y yo desde abajo pudiera ver algo.

Yo me he reído entonces. Y ella se ha encendido, pero riendo siempre, con infantil picardía. Y por esto nuestra conversación fue risueña.

Una coquetería espontánea e inocente le retozaba en todo el cuerpo, en los piececillos que le asomaban entre la reja, en los antebrazos desnudos, en los rizos que el viento le agitaba, en los dientes luminosos.

Charlamos. Por largos minutos se empeñó en arrastrarme al tema de mi vieja pasión, insinuándolo con inteligencia. Supo compadecerme de una manera digna.

Yo le dije:

—No vale la pena resucitar eso. Historia antigua, antigua y archivada. Mi vida vaciló, casi me pierdo, cierto. La injusticia y la traición nos hacen malos. Es preciso cuidarse, después de sufrir una traición o una injusticia. Pero, con el favor de Dios y dirigiendo el alma hacia la humildad y la mansedumbre, el dolor se torna en placer de fortaleza, y uno se salva.

Lo dije sin lamentarme, con sencillez y buen humor. Y pasé a otra cosa, a recuerdos diversos.

Algo sugestivo: tras de repetirme que siempre me había querido mucho, que fui uno de los seres simpáticos en su infancia, agregó:

—Y cuando supe su entrada al Convento, creció mi interés. Creció mucho. No se ría. Mucho. Pensaba en usted con insistencia, con inquietud. Hasta sueños tuve. Temí... Pero, no; en seguida, con esa astucia instintiva de las mujeres, volvió al tema de Gracia. Buscó un hecho que tenía que llegarme al corazón y escocerme sobre la carne viva, y no sé por qué, en este punto, me asaltó una sospecha clara de que Gracia la envía.

Te luces, pensé. Demasiado experto soy para caer en lazos de niña. Y de nuevo cubrí mi semblante con la máscara de la beatitud; más: me di ahora una expresión simple, cándida, la expresión de Fray Rufino, a quien jamás le cruzaría por la mente que alguien le llevara propósitos encubiertos.

Ella me miró con ojos curiosos, desconcertada. ¿Cómo —cavilaría— un hombre que tanto ha vivido puede llegar a un candor tan ciego?

Triunfo. Me lleno de regocijo. Y hablamos, hablamos...

Quedé muy contento. Toda la tarde me han movido ánimos de trabajar, de ser útil, alegrarme. He ido a la procuraduría y he ayudado a contar y distribuir en los armarios una remesa de aceite, hostias y cerillas. Luego, he pasado a la cocina y he parloteado con los legos. Probé la sopa de la olla.

En fin, ahora tengo una amistad. No estoy tan solo. Cada fraile cultiva sus relaciones de locutorio, de confesionario, aun de visitas a ciertas familias. Yo, con mi madre tan distante y reñido con el resto del mundo, bien puedo hacerlo también.

Cumplidos mis oficios y menesteres de la mañana, me vine a la celda, abrí esta carpeta, ya gruesa de carillas, por mi manía de escribir, y me dispuse a vaciar en una página confiada y alegre mi estado espiritual. Reúno mis emociones, las reviso, les doy un orden; luego, para coger bien el tono que han de tener mis palabras, compongo *in mente* las primeras frases:

"Siento —exclamo— el corazón esponjado por una feliz simpatía, por un gozoso impulso de amor a mis hermanos. ¿Qué importa descubrirles una inteligencia sumisa, cuando sus caracteres están llenos de conmovedor encanto?"

Mas apenas comienzo, asoma la cabeza de Fray Bernardo a mi puerta. Las canas puras del dulce viejecito, sus mejillas sonrosadas y sus ojos claros e ingenuos, recogidos tras las gafas azules, concluyen de iluminar mis sentimientos.

—Adelante, Padre.

—No. Venga usted. Pronto. Deseo que usted vea eso.

Acudo, y el viejecito me conduce hasta la portería.

Es la hora de los pobres. El lego ha repartido ya la comida; regresa con la enorme olla vacía y a cuestas. Ahora comen las madres, acuclilladas contra las paredes; y los niños, que hartaron ya sus vientrecillos hinchados, rodean a Fray Rufino y juegan con él.

Dan realmente un espectáculo que conmueve. Asaltan al fraile, tiran de sus hábitos, gritan y huyen luego, para volver en seguida a trepar a su cuerpo, y reír y contorsionarse entre sus brazos. Los besa él, sobre las manitas y los hociquillos pringosos; y con ternura tal, que ni el hedor de los andrajos ni el betún que las narices le dejan en la cara, siente. Parece sólo escuchar sus voces de pájaro, mirar sus carrillos estrujados por la risa; y si algún olor percibe, de seguro que le penetra y le invade un bienestar como el que fluyen los nardos puestos en los establos de Navidad. Todo en él es dulzura y paciencia.

Tan obediente a los antojos de los chicos se muestra, que algunos le cogen por el cordón y le arrean cual si fuera el asno de la limosna. Y él entonces toma un trotecillo picado, y rebuzna y cocea; ya imita al burro, ya musita lastimero como el lego, de esquina en esquina del zaguán: "Una limosnita para los pobrecitos de Dios".

Dan realmente un conmovedor espectáculo.

Miramos aquello paseándonos; y entre tanto, Fray Bernardo lo comenta.

Es verdad. Con razón se va extendiendo el aura de santidad en que a Fray Rufino han envuelto sus actos de amor y penitencia. Legítimo considero yo también que la comunidad entera testifique esos actos y los propague como una gloria del Convento.

Pero he aquí que, sin advertirlo, el viejecito ha recaído en su tema.

—¿Ve usted esa mujer? —me ha dicho de repente—. Mírela bien. Mire a su hijo ahora, aquel de los calzones doblados. ¿No conserva ella el mismo rostro infantil? Salta a la vista. Debe ser buena. En cambio, observe a esa otra... Nada tiene de niño. ¡Ah, es la excepción, una de las excepciones. Tal vez no existan, llego a pensar, y todo sea que yo no sepa distinguir en ellas el rostro de la niñez. ¡Ojalá! Sin embargo, desconfío. Desconfío al no hallarles ningún rasgo permanente; porque si nada permanece en esos seres, nada de sus primeros años, nada de su pureza original, bien puede haber ocurrido que la vida, con sus vicios y la corrupción de los pecados, les haya empedernido el alma. Esto resulta frecuente. Usted lo sabrá. Usted habrá observado muchas fisonomías que nada conservan de la niñez.

—Justo —corroboro con seriedad—. Yo suelo encontrar por ahí algún amigo del colegio y no reconocerlo.

—¿No ve usted? Pues esté seguro de que si no lo reconoce es porque la vida le abolió el niño que fue. Sí; en general, desconfíe de esos rostros que no se pueden restituir a la infancia. Pero hay otra excepción, Padre Lázaro, más mortificante aún. Suelen no ser los padres los parecidos a los hijos, sino los hijos los parecidos a los padres.

Me sorprendo:

—Eso me parece lo natural.

—No. No me expresé bien. Quiero decir que los grandes, en tales casos, no tienen ninguna expresión de niños, y, a la inversa, los niños la tienen de adultos, marcadísima, horrible. Niños con caras de viejos, ¿comprende? Usted habrá visto esos semblantes desagradables... Pues bien, esto me desconsuela de veras, profundamente. Preferiría equivocarme, claro está. No obstante, Padre Lázaro, ¿y si a esos los engendran los perdidos, o aun los endemoniados?, me pregunto. "Los hijos pagarán las culpas de los padres", dice el Evangelio... En fin, no sé, no sé. Prefiero equivocarme; porque me torturo, créame. Si en ocasiones sufro por esas criaturas e imploro para ellas la Divina Clemencia, otras veces las esquivo y hasta me dan ganas de prevenir a los demás chicos a fin de que se aparten de ellos y eviten la contaminación. Nacen con caras adultas. Padre; son malas almas *ab origine*...

No alcancé a responderle. Giramos al finalizar un paseo y vimos a Fray Rufino metiendo su tropel de niños puertas adentro.

El propio Fray Bernardo se detuvo entonces para decirme:

—Sigámosle. Ahora van a rezar. Verá ustel. Él les enseña una oración admirable que ha compuesto. Una oración que en estos tiempos de socialismo y locuras haría mucho bien. ¡Ah, una oración lindísima!

Cuando entramos a la sala oscura contigua al locutorio, ya el santo fraile había reunido a los rapazuelos ante Nuestro Señor de la Agonía. Veíanse muy pequeñitos al pie de la enorme tela quiteña, brillante de barniz, donde el Hijo de Dios muere en la Cruz, entre María y Magdalena y entre la Luna y el Sol que asoman en el cielo convulsionado. La herida del divino flanco mana un chorro de sangre, y un angelillo, con el sexo cubierto por un cendal verde, lo recibe en un cáliz.

Pero de pronto empiezan las vocecitas a corear la oración:

"Nada más bendito que la pobreza nos ofrecisteis, Dios y Señor de los hombres, en vuestra visita redentora. Gracias os tributamos por ello. Gracias por habernos concedido vuestra merced en la pobreza y con ella la alegría de no gozarnos en la opulencia de los mundanos pecados de la holganza y de la carne. Os agradecemos, Señor, especialmente el habernos hecho mendigos; pues si bendita y perfumada por el cielo es la mano que da, más lo es la que recibe. Amén."

"Amén... Amén... Amén..." va repitiendo el sonsonete infantil. Y se arma en el acto una algarabía. La pollada, por una de esas inopinadas voliciones de los niños, quiere marcharse. Fray Rufino la retiene para bendecirla; su mano enflaquecida se alza, pero sus labios han de murmurar a solas su *Benedico te in nomine Patris et Filii et Spiritus Sancti*, porque todos, incontenibles, han corrido al zaguán.

Él ríe. Reímos Fray Bernardo y yo. Nos reunimos los tres. Y el viejecito, edificado y tembloroso, aplaude aquel amor.

—¡Oh! —agrega por último—. Y la felicidad que le producirán a usted. ¡Amor! ¡Felicidad!

Fray Rufino cambia su sonrisa por un gesto melancólico.

—Amor, sí —responde—. Felicidad... La felicidad no es completa para el pecador.

—¡Cómo!

—Suele remorderme la conciencia después de estos recreos, Padre; y es que hay uno de los chicos por el cual mi corazón siente un cariño predilecto. Y no está bien la preferencia. Nos manda Dios hallar iguales en el amor a todas sus criaturas. ¡En fin! ¿Vamos andando?

—Vamos.

Yo no encuentro qué decir. Pasamos el claustro. Ellos reanudan el distingo, discuten...

Son encantadores. Sí. ¿Qué importa descubrirles una inteligencia sumisa, cuando sus caracteres están llenos de conmovedor encanto?

Sin embargo, yo, poco después, los dejo. No sé conversar con ellos largamente. Pero... cada cual puede servir y glorificar a Dios desde su personal temperamento y unirse así a los demás en el amor.

La vida es buena, sobre todo en esta santa Casa.

Al atardecer me anunciaron que una señorita me aguardaba en el locutorio.

A mí, a quien jamás busca nadie...

No podía ser sino María Mercedes.

—He venido a molestarlo —me dijo—. ¿Muy ocupado estaba?

—No, nada de eso. Tome asiento.

—¿Pero le interrumpo? —insistió, aún de pie.

—Al contrario. En las mañanas tengo algún quehacer: mis clases a los novicios, diaconar alguna misa cantada... Pero a esta hora no, nada, nunca. Tome asiento.

—Bien. Me sentaré. Oiga, Mario.. Perdón, Padre Lázaro —se corrigió, echándose a reír.

Siempre halla motivo para marcar un tono risueño a la conversación.

Se sienta en una butaca y, sin preámbulos, me pide:

—Mire, deseo conocer al santo.

—¿Qué santo?

—¿Cómo qué santo? El Padre Rufino. Dicen que hace milagros...

—¡Ah!, Fray Rufino. ¿Tanta es ya su fama?

—¡Viera usted! No se habla por ahí de otra cosa. A la salida de misa, en los salones, por todas partes. A una señora reumática, con los pies ya torcidos, la sanó dándole aceite de la lámpara del Santísimo para que se untara. A otra viejecita, hermana de la Orden Tercera, que llevaba nueve años ciega, le hizo recuperar la vista. Iba él en persona, todas las tardes, a leerle la novena de San Francisco; y el último día, ella leyó la novena por sus propios ojos. Aseguran que se trata de un verdadero santo. ¿O no es cierto?

—Sí, sí es cierto. Es un verdadero santo.

—¡Ay! Yo lo quiero conocer. Si usted me hiciera el favor...

—Con el mayor gusto. Yo se lo presentaré. Pero no ahora. Cabalmente, ha salido.

—Ha salido. ¡Qué lástima!

—Cualquier día de estos, viene usted y yo se lo invito aquí.

—¿Sabe? —me dice entonces, sin transición alguna—. Le conté a Gracia que nos habíamos visto. Se alegró mucho. Le mandó... No, no le mandó saludos. "¿Cómo, no le mandas un saludo siquiera?", le pregunté yo. "No, no sería discreto", me contestó ella. ¿Ha visto?

—¡Pse!

—Una tontería. ¿Por qué no podrían ser amigos, simples amigos?...

Decidí enmudecer. Ese olvido repentino del "santo", del eco de sus milagros, de lo que tan intrigada la traía, para inmiscuir en cambio a Gracia en su charla, y así, de buenas a primeras, sin nexo ni pretexto alguno, me resultó sospechoso. Y resolví que hablara sola.

Por lo demás, no era difícil. Ella no callaba un instante. Y esto, que supuse al principio fruto de sus nervios agitados por la osadía que debía significar para ella su visita, luego se me antojó premeditado, una táctica para sondearme. Mi suspicacia redobló. A medida que me dirigía frases envolventes, llenas de alusiones, sus ojos me observaban con vehemencia, como esperando ver algo en mi corazón.

La dejé concluir, agotarse, tranquilo. Sólo cuando al fin me repitió: "Lo de Gracia es una tontería; el día menos pensado me aparezco aquí con ella", tuve un sobresalto. Sin embargo, pasé a otro punto con naturalidad. Volví a Fray Rufino. Le narré diversos episodios, el de los ratones, la lección a Fray Elías, el paso de las polillas, cuanto a la memoria me vino.

Ella, ignoro si por maña o por justa curiosidad, puso atención. Maravillada, reía. Todo aquello la sorprendió y la movió a risa. Juzgué oportuno el caso para ostentar un misticismo que fuese a desengañar a Gracia, si algún propósito encubierto existía; y adquiriendo un pío continente, le revelé la significación franciscana de que la simplicidad de nuestro santo está impregnada.

¿Comprendió? Tal vez.

La visita se había prolongado mucho, y ella necesitaba irse. Nos despedimos.

Ya me volvía la espalda, cuando la llamé de nuevo.

—Eso de aparecerse aquí con Gracia —le quise advertir— me parece muy mal. Supongo que lo diría usted en broma.

—¿Por qué? No tema.

—No, si no hablo por mí. Ya para mí aquello... muerto y sepultado. Créame. Puedo estar delante de Gracia tan sereno e indiferente como ante cualquiera.

—¿Y entonces?

—Es por la comunidad. Todos saben mi historia. Por esto y nada más. Porque aquello, repito, ya está muerto y sepultado.

—¡Hem! ¿Y no resucitará al tercero día entre los muertos?...

—¡Oh! Imposible. Si hoy lo veo hasta ridículo, se lo aseguro.

—¿De veras?

—De veras —repuse con firmeza.

No me replicó una palabra. Pero.. ¡qué inesperada expresión tuvieron sus ojos! Hubo primero en ellos algo agitado, que les hacía cambiante el color de las pupilas; y luego, en ellos y en toda la cara, algo como un alivio; más, como un descanso y una alegría. ¡Muy raro!

¿Qué averiguación perseguía? ¿Quién la manda? ¿La propia hermana? ¿Otra persona de la familia? ¿Y por qué? ¿Temerán, ahora que Gracia no es feliz?...

Espionaje hay. Inquisición interesada. Evidente. Por

suerte lo voy salvando, y en una forma que para todos conjura los peligros.

Y, al fin, paso buenos ratos. Porque esta chiquilla es simpática, llena de viveza, de risueño atractivo.

Ahora estoy solo, en uno de los corredores del piso alto, con mi carpeta sobre la balaustrada. El día declina mansamente. Las copas de algunos arbolillos quedan bajo mi vista; suben otras, sobrepasan los tejados y diríase que allá, en el espacio libre, despiertan, se sacuden y conversan.

A ratos anoto algo en estas carillas y a ratos divago sin escribir.

El silencio tiene hoy una seducción especial. Habla al espíritu, lo desenvuelve y lo extiende como un manto de ensueño hasta lo infinito. Por momentos, lo excita; pero él hace por calmarse, y aquietándose, responde al silencio silenciosamente. No hay palabras, tampoco ideas precisas; ondas informes de emoción.

Y así, pienso con suavidad, con mansedumbre de hierbecilla, vago, muy vago. O recuerdo, repaso mis actos de poco atrás, todos estos actos amables y sin trascendencia, que si alguna vez me inquietaron, fue por contraste, a causa del absoluto sosiego de mi retiro.

Sí; María Mercedes, aparte su escondida intención, a la cual ya no temo, es muy agradable; una chiquilla, con cierta picardía, pero sana y buena. Fray Bernardo no precisaría mayor esfuerzo para restituir su semblante a la niñez.

Su belleza... Su belleza no turba. Me alteró al principio por el parecido. Ya no. Hoy da sólo una fiesta a mis retinas, una fiesta inocente a cuanto de puro conserva el alma en sus relaciones con lo creado.

Fray Lázaro, venciste. ¡Venciste a Mario, a ese famoso Mario mundano e inflamable que agonizaba de amor!

El sol debe ya estar próximo a caer. ¿Cómo será el horizonte? Apenas lo presiento en este encierro gris. Los árboles, allá arriba, ¿lo verán?

Yo, en cambio, me diluyo en dulce melancolía entre mis viejas paredes.

Mis ojos se posan en el césped del patio. Es verde y suave. Parece que lo hubieran alisado acariciándolo. Se me ocurre que si yo bajara y lo acariciase, él gozaría, como una cabeza amada, y se adormiría.

Pero me faltan alientos para moverme. El misterio de la tarde ha ido invadiéndome poco a poco, hasta desvanecer mis pensamientos y mi voluntad, hasta desvanecer mis pupilas en un destello lento...

La otra tarde, María Mercedes era un destello rosa en el aire y destellaba fresca su voz infantil. Fray Bernardo la hubiera bendecido...

¡Oh, todo el azul del cielo se va tiñendo de rosa!

Fray Rufino ha devuelto la salud al asno de la limosna.

El borriquillo no pertenece a este Convento Máximo. Aquí ya no mendigamos de puerta en puerta. Nos lo habían traído de La Granja, por enfermo.

Todos allá decían: "No sanará. ¿Cómo esperar que sane, si su mal es vencimiento de vejez?" El Padre Maestro de Coristas lo envió, sin embargo, a nuestra Casa, confiado en que Fray Rufino, por intercesión de sus dones, podría salvarlo. Y he aquí que ha recobrado su vigor el borriquillo.

Se lo llevarán muy pronto. Por muchos años quizá recogerá las dádivas para los pobres en la aldea.

Es un milagro...

Este milagro ha hecho venir al Guardián de la Recoleta en busca de curación para uno de sus frailes.

Se trata de un padre a quien corroe la tiña, y, al decir de sus compañeros, "también un mal entendido misticismo". Yo lo conozco. Tiene dudas, cuitas y tormentos interiores. Por penitencia, no desea curarse. Lo han aislado sus hermanos; y él vive ahora en un patio ruinoso y abandonado de su convento, asceta solitario, quemándose en la llama de su fervor penitente, abrazado al padecimiento como a la Cruz del Salvador.

Se ha erigido un altar en la celda, donde oficia su misa cotidiana, asistido por un demente, un muchacho recogido allí por seráfica piedad. Este niño, que vaga por claustros y jardines el día entero, ensabanado en un ancho delantal, con unos calzoncillos asomándole bajo los pantalones, en la mano el palo de una escoba a guisa de bastón y siempre un trozo de pan y un jarrito para beber atados a una cuerda de su cintura, sirve además al enfermo la comida.

Nada pasaría de aquí si los demás frailes no temiesen el contagio. Pero lo temen: el miedo les domina ya y se han puesto muy aprensivos; de modo que su Guardián ha recurrido a nuestro santo para obtener la curación del místico.

Días y días ha estado Fray Rufino visitándole, sin conseguir vencer su resistencia obstinada. Y ha debido volver al fin resuelto a dejarlo en paz.

—Dios no me oye —ha declarado—, y Él solo conoce su designio.

—Pero esto es una enormidad. No tiene derecho ese padre a exponer a los otros —han dicho algunos.

Fray Elías sentenciaba, mirándome:

—A eso conducen los escrúpulos excesivos, a una verdadera enfermedad mental.

—Mándele usted en nombre de la Obediencia —ha ordenado el Provincial a Fray Rufino—. Dígale que se deje asistir.

Pero aquí ha respondido nuestro santo con decisión:

—No, Padre. Dejémosle. Ya hice lo que usted me pide y él me objetó muy sabiamente: "Obedezco la Voz de Dios, que habla en mi conciencia, hermano. Desobedecerles a ustedes en este caso, es obediencia a mi Creador, y es librarles del error por mal consejo".

Todos los frailes allí agrupados se han ido retirando entonces, entre muecas, sonrisas y encogimientos de hombros.

Acaso Fray Elías lleve razón, una antipática razón, pero jamás convencerán a ese místico torturado. Yo lo conozco. Una vez conversamos, y lo comprendí. Nuestras cuitas eran semejantes, sólo que a él, más vehemente y menos equilibrado, lo exasperan y oscurecen. A fuerza de penitencia supone alcanzar la Gracia. ¿Lo has determinado Tú, Señor?

¿Y yo? ¿Qué camino debería yo adoptar?... No sé, no sé...

¡Ah!, fruto del árbol de la ciencia, cada día comprueba mi alma tu amargura. Sintetiza los escrúpulos de ese fraile y también los míos; a mí, refractario a la mortificación, me impides además llegar a la ingenua plenitud franciscana.

Cuando la inocencia está perdida y los principios éticos reemplazan la instintividad de las acciones, no sabemos ya conducirnos, por dócil que nuestro corazón se entregue. Una voluntad individual ha nacido de las ideas en nosotros, y pugna con la Divina Voluntad del Universo, que legisla y gobierna sin ideas. Hemos partido del Paraíso, y nuestro yo desnudo nos confunde. Nos hemos desprendido de Dios, ansiamos volver a entrar en Él; pero ello no depende ya de nuestro deseo, sino de que la Gracia baje a vendarnos los ojos nuevamente.

A veces, cuando está delgado el aire, los ecos de la calle vienen hasta nuestros patios sumergidos.

Yo escucho, divago, sueño...

Campanilleo del tranvía, chirriar de ruedas en las curvas, pregones que una ráfaga deshace, o gritos, gritos dislocados y sueltos, cuyo motivo nunca se adivina... Y a cada instante, un automóvil trompetea, en fuga; se atenúan sus toques con rapidez inopinada siempre: imagino una línea de puntos arrojados al espacio, y que se van achicando, achicando y destiñendo en la distancia. Desaparecen al fin, y yo siento que se llevaron una prisa, un anhelo, una vehemencia...

Oigo todo ese rebullir afanoso y vivo, y mi alma involuntariamente se excita.

Digo involuntariamente. Claro está. Es mi deseo más firme no volver a mezclarme con el mundo.

Pero al recapacitar sujetando mis impulsos involuntarios, noto que mi espíritu se había empinado, que se habían levantado sus brazos, alargándose, alargándose hacia lo alto, como si por encima de los muros otros brazos les ofrecieran suspenderlos, y llevarme a... ¿Adónde?... No sé adónde...

¡Y adónde me iban a llevar!

Nada. Ansias. Cuando niño tenía yo estas ansias...

No ha vuelto para conocer a Fray Rufino. En muchos días no la he visto, ni por la iglesia, ni sobre su muralla. No querrá venir. Se convenció tal vez de que Gracia ya no me inquieta, y perdí el interés para ellas.

Eso estaría bien.

Aunque... lo siento, porque, dominados mis nervios, habían comenzado a gustarme su conversación ágil y su reidora juventud: reflejaban sobre mí un casto placer de ternura, semejante al que deben producir a nuestro frailecillo los niños en la portería.

Hoy he ido al solar. Llegué hasta los pies del muro. Y tampoco estaba.

Me puse a regar entonces el jazmín. Siempre lo hago, maquinalmente.

Luego percibí el quejido del antiguo portón que da a la calle y distinguí al hermano Juan abriéndolo. Era para llevarse a La Granja el borriquillo.

Al fondo extremo del sitio, montando en una mula blanca, un lego tiraba el asno del ronzal. Seguíales un perro negro que tampoco nos pertenece.

Pasaron cerca de mí. Aún me parece verlos... Pica el lego los ijares a su bestia, con el talón de la sandalia; el grueso pulgar de su pie levántase crispado, mientras los dedos pequeños se prenden al canto de la suela, y los codos, en afanoso aleteo, quieren impulsar al animal lerdo y testarudo. A la zaga trota el perro, lacias las orejas, en arco el rabo, y acezando, con la lengua fuera, colgante y goteante como una pulpa que sangra.

Pronto los tuve otra vez lejos. Sobre la tierra parda, lucían el color de la mula blanca, el sayal castaño y el perro negro, borrábase el pollino ceniciento, y tres nubes de polvo iban estelando el aire.

Al fin se fueron. El hermano Juan cerró de nuevo el portón y regresó a los claustros.

Yo no quise irme. Descubrí el lugar del huerto donde antes me sentaba, y allí, en los terrones duros y calientes, permanecí hasta que hubo fresco y las sombras de las casas, tendidas ya sobre todo el solar, se confundieron con el velo del crepúsculo.

Ha caído entonces sobre las cosas un manto de recogimiento que reduce a la meditación el alma.

Pero yo no puedo meditar. Me va enviciando, Señor, este goce de disolverme entre las sensaciones apacibles.

Luego empieza el temblor de las estrellas a glorificar al Creador, y desde la tierra los grillos le responden. El cristal de una ventana prende un lampo verdoso allá en una fachada.

Sólo en el tejado de esa niña se mueve algo: la chimenea exhala un humo veloz y encendido.

Es la única actividad que recuerda, Señor, a tus criaturas sobre la tierra.

Domingo. Misa de once. La nave central está densa de fieles. Muchas flores y mucho incienso acumulado azucaran el aire.

Entro en la iglesia por la puerta del claustro; y he avanzado unos pasos apenas, cuando veo a María Mercedes. Ha venido con su madre, la señora Justina, la suave y hermosa señora Justina. Visten ambas de negro, velo a la cabeza y rosario de cristal envuelto a la muñeca enguantada. La niña me parece así más seria, y más pálida, casi triste, *muy Gracia.*

¡Qué bien se conserva la señora Justina!

Me quedo en la nave derecha, vacía; junto al primer altar, al de San Buenaventura.

De pronto, la señora me divisa, y al punto me quita la cara. ¿Por qué? Se ha turbado, se ha puesto roja, se ha contraído a su libro... ¿Evita reanudar mi amistad? Y yo que anoche, cabalmente anoche, hacía recuerdos suyos, y con tanto cariño... Ella fue buena, muy buena conmigo en aquel tiempo. ¿Y entonces, por qué?... No entiendo.

Luego, María Mercedes también alza la cara y se encuentra con mis ojos. Nueva turbación: su mirada vacila, viene a mí, se retira, sale otra vez y en medio camino vuelve a recogerse, metiéndose al fin pupilas adentro, como un flúido que se amedrenta y se niega.

Pero esto duró breves segundos. En seguida una sonrisa amiga me pedía excusas y aclaraba su semblante un esfuerzo amable. Yo le apoyé los ojos, repentinamente olvidado de su madre. Quise decirle con la mirada: "Hablaría con usted, aquí, ahora mismo". Lo comprendió, azorada, observó fugaz y con disimulo a la señora, y no me miró más.

¡Qué raro es todo esto! Y después de tantos días de ausencia...

Me hacen a un lado, me rehusan, quieren mantenerme a una distancia discreta. Flaquezas humanas. Las gentes, el qué dirán... Me lo figuro.

Bien. Después de todo, me felicito. Durante ocho años mi deseo ha sido no saber más de ellas.

Pero duele, lastima, esto. Encierra una injusticia, una falta de piedad. Podían comprender lo solo que me han dejado, y que hay un fondo sensible en las almas delicadas, que no muere aunque se renuncie a los afectos humanos para siempre.

Acabo de abandonarles.

Almorzamos con el ingeniero que hizo la demolición. Vino a tratar del embrollado negocio y le dejaron a almorzar. Están ahora en nuestra sala de recreo. Les acompañaré buen rato. ¿Para qué más? ¿De que servía yo allí?

Fray Elías era el más entendido. Lo reconozco. Es un jugador de billar muy fuerte y ha ganado al ingeniero todas las partidas. Luego ha tocado el piano, y el ingeniero ha cantado unas canciones epigramáticas, ¡muy epigramáticas!, pero que han divertido a los frailes. Reían como chiquillos. Fray Bernardo lloraba de risa, todo ruborizado, el viejecito.

Entre aquellas paredes blancas y aquellos muebles coloniales de lustrosa caoba y tapices de crin, retozaba una ráfaga mundana y chusca, inocente, sin embargo, por el candor de los religiosos.

El ingeniero se ha reído de todos interiormente. Sólo yo lo comprendí. Es un mocetón cortés y algo cínico; un librepensador regocijado, sin ese agresivo fanatismo radical; en suma, un agradable demonio. Se complacía escandalizando a mis cándidos hermanos con relatos de la corrupción que hay en el gran mundo. Soltó unas patrañas... Y unas carcajadas... Mentía por divertirse con nosotros. Debe saber algo de mi vida, porque me dirigía, entre cuento y cuento, guiños de inteligencia, como diciéndome: "Siga la broma. Disfrutemos, amigo".

Los frailes, con espíritu pueril y curiosidad de beatas, le tiraban de la lengua. Contó que se había instalado en Santiago una casa con tarifa impresa de las grandes damas adúlteras. Y le creían. ¿Habrá embustero? Es el mismísimo diablo. Sus ojos, un poco separados, encienden dos chispas verdes bajo la frente enorme, con las sienes prematuramente calvas. Tiene un cuello macizo; un tórax atlético, pero algo contrahecho, y en la solapa conservaba un boleto de tranvía.

¡Pintoresco tipo!

Después hablaron de Fray Rufino. Se quiso lucir al santo.

—Pero, ¿están seguros de tener un santo? —dijo él—. Aunque..., sí, un santo resulta más bien una creación de nuestro juicio. En resumidas cuentas, la santidad no parece algo propio del místico a quien juzgamos, sino el reflejo de sus actos en nosotros. Nuestra conciencia forma entonces una imagen refleja y la canoniza.

—¡Oh!

—¡Eh, señor racionalista!

¡Cómo se burlaron del infeliz! Les llegó el turno a los frailecitos.

—Entendámonos, entendámonos... —murmuraba él, ya confuso.

Nada. Lo abrumaban. Menos mal que todo era reírse y que gastaba él mejor humor que nadie.

Recuerdo que preguntó:

—¿Y por qué los santos, ellos, quienes mejor se conocen, se consideran siempre míseros pecadores?

—Porque... ¡Sabe Dios!... Por costumbre —le repuso alguien.

Y ahí fueron las mayores carcajadas.

Pero Fray Bernardo apuntó:

—Porque son como niños, mansos, humildes, simples.

—¡Ah! ¡Pse! Un simple, un niño.

El viejecito, repitiendo su ademán predilecto, levantó el dedo hasta el nivel de sus gafas azules, miró al ingeniero por encima de los cristales y, emocionado, le sentenció:

—*Quicumque non acceperit regnum Dei sicut parvulus, non intrabit in illud.* —Y le tradujo: —Quien no llame al reino de Dios con el corazón de los niños, no entrará en él.

Aunque siempre risueña, la discusión rodó entonces teológica, doctoral, sectaria, cansada. Me aburrí. He oído tanto eso... El racionalista se defendía: que si no creemos con la fuerza de nuestra inteligencia, sino con su debilidad, con la flaqueza que le infunden los sentimientos; que si la fe radica en el corazón y se afirma en el miedo, durante las aflicciones, hacia la última vejez, a la hora de la muerte...

—Así, ustedes, los de cerebro poderoso, los cientifistas matemáticos, ¿lo saben todo? ¿No se le ocurre a usted, señor mío, que hay verdades del corazón, como las hay del cerebro?

—¿Y por qué un órgano valdría más que el otro?

—En fin —concedió el físico—, el Enigma ese permanece siempre recóndito.

—Recóndita o manifiesta —dijo el Padre Guardián—, todos sienten a su rededor una Verdad formidable.

Bien. Me retiré.

Yo no hablaba. No pude conversar una sola vez en la tertulia.

Me va enviciando también el aislamiento.

¿Será que mi retiro me pone incivil? Sufro perenne la impresión de tener algo suspenso, pendiente, que necesito resolver..., o al menos proseguir, para calmarme; algo que la presencia de la gente me interrumpe; más aún, algo que a cada paso me exige preguntarme: "¿Qué iba yo a hacer? ¿Qué iba yo a decir? ¿Qué estaba yo pensando?". Y luego veo que no era nada, sino continuar mi soledad, mi abandono a las sensaciones suaves y vagas...

¡Señor, Señor!

A medida que avanza la cuaresma, las confesiones se multiplican. A veces, hasta el anochecer pueblan el templo bultos negros y suspirantes; un bisbiseo continuo enrédase a los bancos, salpica las losas, agita como una efervescencia la penumbra; y a pesar de la hora, los frailes, en especial los penitenciarios de mujeres, no acaban de confesar.

Hoy pude medir la tarea de mis hermanos. Estuve un rato en el altar de San Antonio, rogando por Gracia, cuyas vicisitudes tanto me apenan; y aunque ya serían bien las seis cuando salí a la plazoleta que sirve de atrio a nuestra iglesia, todavía quedaban fieles.

Fray Jacobo, que venía tras de mí, me pidió el brazo para sostenerse.

—¿Qué hay, Padre?

—¡Uf! Cansado, hijo. Muerto. A mi edad, esto rinde.

Fray Jacobo, como Fray Bernardo y dos ancianos más, forma entre las reliquias vivas cuyos últimos días prolonga nuestra seráfica Regla. De sus ochenta y cinco años, ha pasado setenta largos en la Orden. Y está hoy casi chocho, de una chochez gruñona que por todo se impacienta. Sobre sus hombros tiembla una cabeza sin pelo, de colgantes gorduras, picuda nariz y ojos miopes, saltones y desteñidos que desmayan en ese color terroso común a los octogenarios. Ahora, exceptuando su misa y las confesiones, ningún cargo desempeña. Y ocupa el tiempo en regañar. El día entero gruñe, solo, en su celda o por claustros y jardines.

No estorba; nos cruzamos con él, oímos un fragmento de su monólogo y seguimos nuestro camino sonriendo.

—Pero sus confesadas —le observé hoy, mientras lo conducía del brazo— poco trabajo le darán.

—¿Por qué? ¿Porque son viejas?

—Y porque tanto conoce usted sus almas.

—¡Fíese usted! A la mayoría las confieso medio siglo. Eran jóvenes, y yo también, cuando empezamos la tareíta.

—Pues por eso...

—Pues por eso mismo, hijo, me revientan. ¡Virgen Santísima, qué criaturas! Exasperan. ¡La misma tonada siempre! "Tráigame pecados nuevos —les digo—. Estoy harto de verlas reincidir en las mismas culpas. Nada hay más odioso a Nuestro Señor que la reincidencia. Aun Él se aburre."

—Sin embargo..., pecados nuevos, Padre...

—¡Qué sé yo! Al menos, sería otra cosa. Porque esta confesión igual, eternamente igual, por cincuenta años, hasta pecado resulta, una majadería sin eficacia, un desprestigio para el sacramento. Nada. No entienden. Lloran. No saben más. Lágrimas. Lágrimas de beata. "Tienen ustedes —les advierto— una vida mansa, insípida, muerta, sin dudas, ya sin pasiones ni catástrofes que las empujen a pecar; y en vez de aprovechar estas ventajas para conseguir una santa conducta, vuelven a las mismas pequeñeces, dale y dale con la misma mugrecilla." No hay perdón, Padre Lázaro. "¡Lárgate!" —llegué a decirle a una en cierta ocasión, a punto de soltarle un revés. Y creo que lo di contra la rejilla—. "¡Lárgate, majadera! Por mentecata, merecías más pena que un malvado."

Una aparición súbita de María Mercedes me contuvo la carcajada en el pecho. ¿De dónde surgió la chica? Me paré sorprendido. Acaso viniera de confesarse. No se lo pregunté. No hubo tiempo. Apenas logré dejar cuidadosamente a Fray Jacobo en el umbral de la portería, suplicándole que me aguardase unos instantes. Cuando regresé dos pasos atrás, ya ella me envolvía en una charla presurosa.

Y... ¡Señor, la encontré como nunca igual a Gracia! Sobre todo en los ojos. Ese calor, ese vaho seco y ardiente que gira sobre las pupilas acarameladas, y las tuesta, convirtiéndolas en dos topacios que se queman...

Me costó reponerme.

Pensé averiguar, además, qué les ocurría el domingo en misa, por qué me quitaban la cara, por qué la señora Justina no me saludó. Pero tampoco hubo lugar. Su viveza, mi nerviosidad y el apuro crearon una situación de torbellino. Y si hablamos algo... ¿De qué hablamos, en suma? Nada. Fruslerías; risueñas y nerviosas futilidades, tal vez inconvenientes algunas para un fraile, por su tono frívolo... Es algo coqueta, la chica... Recuerdo haberle dicho... Sí. Pero... ¡También yo!... ¡Seré imbécil! Estuve ridículo. No, no quiero recordar las trivialidades que le dije. Repasarlas me irrita. Me ha creído tonto, no cabe duda. Luego debí enmendar mis palabras, mis desairadas réplicas de bobalicón. Lo malo es que se marchó tan ligera, en forma tan inesperada. Vio de repente que varias amigas suyas se retiraban de la iglesia, convidándola, y se me fugó. No me extrañaría un temor de que la viesen conmigo... El hecho es que se fue.

Tomaron el centro de la Alameda. Yo permanecí un minuto largo mirándola perderse entre los árboles. De trecho en trecho volvía la cabeza y se me ocurre que me dirigía un adiós con los ojos.

Al cabo me junté con Fray Jacobo.

Cruzamos el zaguán lóbrego, el locutorio en tinieblas a esa hora, salimos al claustro y, por la escalera más inmediata, subimos lentamente, peldaño por peldaño, porque a Fray Jacobo le pesan ya demasiado los huesos.

Los árboles del patio recibían cientos de gorriones que se recogían a sus nidos y llenaban la fronda con su piar desmigajado.

—Estos pájaros —gruñó Fray Jacobo— molestan mucho.

—¿No le gustan, Padre?

—¡A quién le pueden gustar! Chillan con verdadera insolencia. Desde el alba hasta la noche, el patio parece una olla de grillos.

—Pero eso es un encanto.

—Sí, sí. ¡Una delicia! Además, son unos cochinos. Lo

ensucian todo y, peor aún, se reproducen con furor. No viven sino para..., eso, los muy caballeretes...

—¿Quién era esa niña? —me preguntó al separarnos—. Parece muy ardiente.

—¿Ardiente?

—Sí. Tiene un mirar diabólico, la criatura. Pertenece a las que tientan, a las que aman con fuerza de invencible seducción el papel de arrastrar al infierno a los hombres.

—Es..., hermana mía —le respondí colérico.

Y lo abandoné.

¡Cómo amarga la chochez algunas existencias declinantes! Llaman al refectorio. Me voy. Por escribir, he perdido el crepúsculo.

Pues bien, heme de nuevo en la celda. Había que recogerse.

Me he fijado mucho en la lectura durante la comida; y ahora, en esta soledad, recurro a mis papeles. ¡Todo para no pensar! El ritornelo de mis ligerezas con María Mercedes quiere sobreponerse y la impresión de ridículo me persigue.

Y encima, esa observación de Fray Jacobo me fastidia más, complicando mis involuntarios pensamientos. En fin, olvidemos, olvidemos aquello.

Porque..., a ver... ¿Cómo fue?... No, no lo escribo. Basta.

Pero tampoco deseo acostarme. ¿Y qué hago, entonces? ¿Rezar? Oraciones sin fervor...

Me iré afuera.

Sin embargo, temo también salir. Estas últimas noches de verano hablan a los corazones sensibles, llaman, nos miran, se despiden, y a la vez que un adiós, son un prólogo inquietante. Algo que comenzará en cuanto ellas se hayan ido, parece agazapado tras de sus tibiezas en fuga. Y uno tiembla sin querer, porque el instinto, ese viejo sabio, que se nutre en la oscuridad con las experiencias asimiladas en lo subconsciente, aprendió a temer al mañana.

Tampoco saldré, pues.

Pero aquí, desocupado, no sé qué me entra. Una melancolía, una pesadumbre, un miedo, un desasosiego incómodo que me impide además acostarme. Se me figura que tan pronto me acueste comenzaré a oscurecerme. Siento un ansia inexplicable de huir, de huir de mí, de esquivar la presencia de este yo recóndito que diríase que va a acusarme en cuanto nos encaremos...

¡A acusarme en cuanto nos encaremos! ¡Dios mío! ¿Cómo escribí esta frase? Chispas sorpresivas, de sospecha, relámpaguean en mi mente... Debo coger las disciplinas, debo azotarme. ¡Sí! ¡Hay que matar a Mario!

¡Ampárame, Señor; mi alma se llena de desorden!

Tres días de ayuno, mortificaciones y plegarias... ¿Para luego caer como una virgen cándida en el primer cepo del Tentador?

¡No, Dios mío! ¿Puedo acaso enamorarme a estas alturas, a mi edad, cuando todavía sangra mi extenuante herida, y abrazado como estoy a tu Salvadora Cruz? ¡Imposible! Suplantaría Mario a este Fray Lázaro que durante ocho años vengo edificando sobre las ruinas de mi catástrofe. ¡Qué aberración!

No, yo no puedo enamorarme ahora.

¿Qué pasó esta mañana, entonces? Un fenómeno muy explicable. Diste, Señor, a lo circunstancial una fuerza resurrectora de los viejos hábitos de nuestra sensibilidad. Y mi corazón, repitiendo sin saberlo una pretérita costumbre, se dejó envolver por las circunstancias, arrastrar por la emoción, y llegó al canto del abismo.

Pero yo dominaré al espectro que ronda para entrometerse en mi presente. Nada como tomar plena conciencia de lo que nos sucede, para defendernos contra el impulso. No permitiré ya que el corazón se me suba solapadamente al cerebro y lo desarme. Ordenando los hechos, escribiéndolos, distinguiré los valores. Ya noté algo, al revisar mis últimas páginas. Comprendo ese vicio por las sensaciones vagas, y aquellas ansias, y tanto amor a la naturaleza callada y solitaria: la pasión busca siempre la soledad y el silencio.

Basta.

Hecho mi examen, afianzaré posiciones y triunfaré. Habrá lucha, lo preveo, y muy cruda quizá. Mario representa mi juventud, aún tan remisa en irse; este Fray Lázaro, mi madurez, mi vejez ya próxima; y las ramas de un árbol joven, aunque más blandas y sensibles que las de uno viejo, son más resistentes. Pero Dios sabrá secarme por completo, si ello fuese preciso, y hacer duros mis nervios, duros como la pica de un cruzado.

¡Enamorarme, traer el tormento a mi dulce reclusión, el huracán a este remanso donde Nuestro Seráfico Padre acoge y abriga mi pobre alma cansada! ¡Y por la propia hermana de Gracia! ¡Qué absurdo! ¡Con el Divino Favor, venceré!

Aún es tiempo.

Veamos, empecemos a tomar conciencia. ¿Qué ha ocurrido en justicia esta mañana?

Regreso de mi clase a los novicios en la Recoleta, cuando de improviso, por la calle del Estado, frente a San Agustín, una nota verde atrae mi vista. Se fijan un breve instante mis ojos en ella y reconocen el cuello de un abrigo azul marino que ha venido haciéndoseme familiar, el gabán que suele ahora usar María Mercedes por las mañanas.

De un modo violento, irreflexivo, aprieto el paso. Como ella me lleva buena ventaja, sobra espacio para reflexionar. A raíz de mis sospechas, mis tribulaciones y mis penitencias de tres días, bien sé cuán poco me conviene alcanzarla. "Además, recapacito, con sus actitudes aquel domingo en misa y su apremiada fuga la otra tarde, me ha significado un claro deseo de mantenerme a distancia, al menos cuando hay gente. Todo me prohibe, pues, acercarme a ella por la calle."

Sin embargo, seguí andando, a prisa. Sorprendí en mí este impulso involuntario, quise corregirlo, pensé aun cambiar de acera. Y bien, fue un mero pensamiento. Mi cuerpo, como desconectado de la voluntad, continuó. Parecía que un puño gigante, irresistible, me había cogido por el corazón y, empujándome, me conducía en vilo. Tal era mi apuro, que mis piernas se entorpecían por momentos, cual si las dos a un tiempo pretendiesen avanzar.

Y he aquí que, en medio de la alternativa, me veo a su lado, y ella exclama:

—¡Usted!

—¡Bah! ¡Usted por aquí también!

Nos sorprendíamos. Sin duda juzgábamos insólito el andar ambos por la calle...

Y luego un silencio, agitado de temblores.

—¡Vaya! ¡Qué encuentro! —dijo al fin ella, nerviosa. Después miró a los lados, como temiendo que alguien nos observase.

Intenté despedirme. Era una ocasión.

Pero:

—¿Por qué se va? —me sujetó rápida—. ¿No iba usted al Convento? Llevamos el mismo rumbo. ¿O se les impide a ustedes caminar con una mujer por las calles céntricas?

—¡Oh, no! Ni por las céntricas ni por las apartadas. Yo lo hacía por usted

—¿Por mí?

Con subrayado reproche, sus pupilas se quejaban: "No cree usted en mi adhesión".

Sumiso, desfalleciente, me quedé.

Nuevo silencio, embarazoso. No, no atiné a romperlo.

—Dígame —preguntó ella, con su instinto social—. Tengo desde aquel día una curiosidad. ¿Y los ratones? ¿Qué hacen los "hermanos ratonzuelos" ahora?

—Los hermanos ratonzuelos... No sé. Ya no nos preocupan.

—¿No molestan ya?

—Créame que los había olvidado. Parece que hoy no perjudican. Tal vez con la demolición hayan huido.

—O habrá otro milagro.

—¿Qué Fray Rufino lograse contenerlos? No sería raro. El hecho es que nadie se queja.

—¡Ah!, mire —me dijo de pronto, abriendo su maletín—. ¿Conoce usted este libro? —Había extraído un gastado volumen de *El niño que enloqueció de amor*—. El que me regaló usted. ¿Recuerda que le conté una tarde que lo conservaba? Convénzase.

—No lo dudé nunca. No necesitaba, pues, probármelo.

—Tampoco lo tengo aquí por eso. No podía sospechar que nos encontraríamos. Es que ahora me acompaña siempre.

En este punto me cegué. Una ola de emoción enturbió mi entendimiento. Súbitamente esponjado por un regocijo inenarrable, rodé al abismo.

Revisamos la dedicatoria, con la alegría un poco estúpida de dos adolescentes que se insinúan.

—En efecto, mi letra.

—¡Y qué letra tan bonita! —comentó. Y en seguida, recalcando al leer mis antiguas palabras: "*...que ojalá no sea tan romántica como su hermana*". ¡Ay! No sabía usted que yo era una gran romántica. ¡Tremenda! ¡Oh! Sueños, melancolías, llantos a solas; mi corazón gemía durante los atardeceres. Hoy mismo, todos los crepúsculos... ¡Si supiera usted cómo soy! ¡Y cómo me urgía ser mayor entonces! Usted y... la otra romántica me contagiaban. No veía las horas de hacerme una mujer y tener yo también mi Mario... Porque un Mario, ¡qué divertido!, un Mario colmaba mi ideal. Era un envidiar a Gracia... Las chiquillas resultamos muy cómicas. ¿Creerá usted que, en mis sueños, a mi príncipe azul le llamaba Mario?... ¡Qué cosas! ¡Dan risas! Cosas de niña.

—Cosas de niña.

—Así es.

Calló. Parecía triste de repente. Yo también me puse triste.

—Hablemos de otro asunto.

Pero no hablamos de nada. Marchábamos sin conseguir animar el silencio. Y esto me fue turbando más.

Aun después de vadeada la Alameda, y en el punto en que debía entrar ella por la calle Serrano y doblar yo hacia el Convento, estábamos mudos.

Nos detuvimos. Un momento cara a cara. Al toparme con sus ojos, la sangre se me agolpó a la cabeza. Hube de sufrir que su vista recorriese mi figura, y no porque lo hiciera con gran disimulo evité un mayor bochorno. Sentía las orejas hinchadas y mi tonsura se me representó roja, horrible. Pensé en mi "aspecto", en ese "aspecto tan.... tan así", como ella lo calificara una vez. Y escondí bajo el sayal los pies descalzos. Todo dentro de fugaces segundos, en ese vértigo de la imaginación azorada.

—Bien, bien. Es tarde, es tarde. Hasta luego.

—Hasta luego.

Y eso fue todo.

A medio trayecto hacia el Convento, no obstante mi seguridad de que ella se había internado por la calle Serrano, miré una vez atrás.

Señor, esto concluye aquí. Acabará, Señor. Tú lo querrás. ¡Sálvame y sálvala! Fray Jacobo no tiene razón en su juicio. No es ella como él supone.

Sin embargo... es peor. Y Mario, como ella.

Pero no suplantará Mario a este Padre Lázaro que durante ocho años vengo edificando sobre las ruinas de mi catástrofe. Si ésta es la prueba a que me sometes para concederme al fin la gracia de ser un buen fraile menor, la acepto, Dios y Señor mío. Yo dominaré el espectro del pasado; aunque mucho haya de sangrar, enclavado entre tus Pies a la Cruz, este corazón que ya sólo a Ti pertenece.

—¡Cómo! ¿Va usted a escribir?

Es Fray Rufino. Bruscamente ha suspendido su trajín de aseo por mi celda, y frunce contristado las cejas al verme sacar este legajo y abrir el tintero.

—¡Válgame Dios! ¡Escribir así, tan débil!

Con la escoba en la mano, enflaqueciéndole de susto el verde semblante, coronado por su ralo cerquillo negro y los pies rematando el esqueleto mal liado por los hábitos que ata el cordón en cien pliegues a su cintura, me provocaría risa, la risa que da la indignación de los inocentes, si no fuese tan bueno y tan tierno, y si no estuviera mi ánimo tan decaído.

—No, Fray Rufino —le calmo—. Sólo quiero refrescar un poco en la memoria, y por mera distracción, estos apuntes para mis clases.

—Pero entinta usted la pluma.

—¡Oh! Siempre alguna enmienda se ofrece.

—Malo, malo. Le han prohibido el trabajo.

—Sin cansarme. No me cansaré, no tema.

Me juzga muy enfermo, y ha vuelto a su auxilio de limpiar mi celda todas las mañanas. Ignora que sólo he preferido encerrarme unos días y defenderme así contra el peligro de los encuentros y las visitas posibles.

—Usted no está bien —me dijo después de aquella espantosa noche, el Padre Guardián; y adelantando sus manos episcopales, me tomó el pulso, me palpó la frente—: Sí. Febril. Llamaré al médico.

—No, Padre —resistí—. He tenido torturas, escrúpulos, malas resurrecciones... y mi alma conturbada necesitó penitencia.

Fray Luis olvidó entonces sus manos y, discreto, respetuoso, con cariño, me aconsejó:

—Descanse ahora, de todas maneras. Avisaré que paraliza su enseñanza y sus oficios por una semana. Recójase a la oración, y cuídese, cuídese mucho.

Sin salir a la calle, ni a la iglesia, ni al locutorio, calculé, evitaré mejor las sorpresas del azar y la paz llegará primero.

Acepté. Y van corriendo los días, unidos, iguales, como uno solo. Ya son cuatro.

Esto me tranquiliza. Ahora cojo mis papeles, que tanto me sirvieron; sigo la manía, como un reposo; y, también, así abro compases de espera entre mis oraciones, que no conviene hacer maquinales a fuerza de repetidas.

Sin embargo, no sé qué poner aquí. Aquello... ni pensarlo. Escarbar en las emociones resulta duro tras de tantas horas de examen, y enervante, y peligroso. Escribo por escribir, sin esmero. Mato el tiempo.

Ahí regresa Fray Rufino, con aguas limpias. Coloca el jarro y el recipiente sobre mi lavatorio de hierro. Extiende la toalla.

¡Pobre hermano! Yo debía cuidarle a él, y no él a mí. Pisa con dificultad, encogiéndose. Seguro que otra vez, a ejemplo de San Francisco y en recuerdo de los Santos Clavos, ha puesto dos guijarros filudos en las plantillas de sus sandalias. ¡Pobre! O feliz. No puedo calificarlo. En realidad, su vida no difiere mucho de aquella observada por los pobrecitos de Asís, ni su pobreza. Añádenle aún semejanza las emanaciones corporales, sensibles cada vez que una ráfaga bate sus harapos. Pero no repugna. Hay un resplandor preso en su exterior mísero. Esa carne de martirio emana una especie de majestad modesta, cándida y profunda, y sus ojos tienen el santo ardor de los visionarios, iluminados por la Secreta Verdad.

—Fray Rufino.

—Hermano.

¡Qué bien me causa su costumbre de usar el dulce nombre de hermano!

—Mire usted cómo entra el "hermano Sol" por la ventana. Desenvuelve una estera de oro en el suelo. ¿Ve usted? Cuadrada y perfecta. No; es más bien un tapiz, y esas sombras fugaces que afuera dibujan los pájaros en el aire ponen los arabescos.

—Ya está usted haciendo poesía. Descanse.

Luego se acerca y agrega:

—O escriba usted que todo este lujo nuestro, este tapiz y esos dibujos, bajan del cielo. No lo podemos mirar sin volver arriba la cara. De allá cae el Sol, allá dibujan los pájaros. Todo aquí es sombra o proyección.

—Así es. Alabado sea Dios. ¿Qué ha hecho usted estos días, Fray Rufino?

—Al menos hoy, nada todavía. Luego me aguardan en el hospital.

—Como siempre.

—Como siempre.

Diariamente acude al Hospital de San Juan de Dios para curar luéticos, impúdicos para las hermanas de caridad, y cumplir como el Seráfico, sonriente y deleitado, la misión de servir sintiendo regocijo entre las hediondeces y lacerías.

—¿Intentó usted el año pasado ir a la Isla de Pascua y dedicarse allí a los leprosos?

—Pero no fue posible.

—¿Lo acompaño al hospital?

—No. Cuídese. Descanse. Me quedaría más con usted, hermano. Pero... mi torpeza y poca suficiencia me impiden curar las llagas de Cristo en las almas atribuladas...

¡Santo Fray Rufino!

¿Y cómo sabe que mi sufrimiento es del alma? Carece de malicia... Fuerza es reconocerle videncia.

Tampoco debí confesarme con ese fraile.

Pero no me resolví a confiar mi secreto a ninguno de esta Casa ni de la Recoleta; vivimos demasiados juntos. Y así, viendo llegar a uno de La Granja, quise aprovecharlo. Fue un error encomendarme a él. Negó a mis cuitas toda importancia. Con su voz robusta de campesino, me aconsejó no abatirme, sumar fuerzas, que me riese de las alarmas. "Todos caemos en tentación y nunca nos asustamos así", me dijo. Y concluyó que podía comulgar sin recelo.

Yo lo conocía. Sin embargo, no sé qué vaga esperanza tenía de que me comunicara su sana despreocupación, su fe de buen hombre bien parado sobre la tierra.

En el fondo, pertenece a los felices, a los pequeños felices, que se apiadan por un instante de quien está en desgracia, y luego comparan ese destino con el propio, y al fin, contentos con el resultado de la comparación, dichosos de hallarse sin padecimientos entre tantos afligidos, bendicen a Dios por la suerte que les cupo, olvidan al otro, y tras de cuatro consejos triviales se van, satisfechos de su ministerio.

Yo te perdono, hermano. Gastas el tiempo en rutinas pías, ruegas a Dios por ti en particular y sólo en general por el daño ajeno; cuando llega la noche, bien cumplidos tus oficios, te acuestas, cansado, pero sin dolores; y la vida de cuantos entramos al servicio eclesiástico te parece la más envidiable: reúne todas las ventajas de la indiferencia, sin ser indiferente del todo.

Yo te perdono, hermano.

Afortunadamente, sólo te hablé en abstracto. Ni di pormenores, ni personalicé.

Tu santidad, Fray Rufino, a pesar de la mucha ufanía y los muchos bienes que a la Orden está causando, ha vuelto a resultar incómoda para tus hermanos.

Risas aparte, el suceso de hoy produjo molestia, contrariedad, fastidio.

El Provincial dispone la Semana Santa para San Francisco de Mostazal. Proyecta mandar al pueblecito un fraile que la haga; y entre los preparativos, figuraba un terno adquirido con el fin de vestir el Judas que se quemará en la plaza de la aldea.

Pues, señor, hoy buscan el traje y no lo encuentran. ¿Quién lo tomó? ¿Dónde lo han puesto? ¿Qué tiene nadie, Señor, que meterse en la Guardianía?... ¡Registros y cavilaciones! ¡Cuánta pregunta de celda en celda!

Poco antes del coro todos se han agrupado.

—¿Pareció al fin esa ropa?

—Nada. Se ha hecho humo.

En esto ven llegar a Fray Rufino del hospital, corriendo al Oficio Divino. Le interrogan; y él, bañado en júbilo el simple rostro, como el niño que revelara una feliz ocurrencia, contesta:

—Yo se lo di a un pobre. Andaba casi desnudo, y el otoño empieza. ¡Hubieran visto el gustazo del infeliz! ¡Con qué vehemencia se lo puso! Porque el traje era espléndido, flamante...

Unos ríen. Gruñe Fray Jacobo. El Provincial, mordido el labio y los ojos midiendo al frailecillo, balancea la cabeza. Sólo Fray Luis, Fray Bernardo y yo sentimos, en medio de nuestro risueño asombro, una invencible ternura.

—Pero he guardado, en cambio, para Judas, las tirillas del mendigo. Allí, en ese arcón.

Entra en la Guardianía y regresa con ellas. Son unos trapos inmundos.

Hay un silencio palpitante.

—Judas —insinúa irónico Fray Elías— fue casi rico, el más adinerado entre los apóstoles. Lo supondremos bien vestido en nuestras solemnidades...

—¡Ave María Purísima! Y esto no sirve para nada. Esto es una porquería infecta —concluye, dando con el pie a las prendas astrosas, Fray Eugenio el Provincial.

No se habló más.

Pero aunque nada le increpasen, aunque gracias a unas palabras del Guardián comprendieran la caridad evangélica, una reprimenda flotaba tácita, como un azote, para el fraile.

Y él lo entendió. Al menos sintió su alma la presión hostil. Fue poco a poco apagándose su alegría.

Al subir al coro se allegó a mí, confuso, y me dijo:

—¡Qué torpe soy, hermano! Jamás aprenderé a conciliar los intereses del Convento con las necesidades de los pobres.

¡Qué turbada está mi alma todavía!

Vino hace un rato el hermano portero.

—Una carta, Padre Lázaro —me anunció desde el umbral. Y tembló. Apenas tuve aliento para responderle:

—Adelante, hermano.

¡Qué turbada está mi alma todavía!

Era de mi madre, la carta.

Carta de mi madre y.... ¡Qué ineficaz! He recordado mucho a mi pobre viejecita en todas estas horas. A ella volvíase mi corazón dolorido. "¡Si estuvieras aquí! —suspiraba—. ¡Si te resolvieras a dejar al fin tu provincia y acudieses a mi lado! Acaso juntos..."

Pero tengo ahora conmigo sus palabras, y veo que su amor no me consuela.

Cuando pequeño, mi madre me conducía de la mano, me guiaba por todos los caminos. Un día partí, a estudiar lejos, varios años, y hube de valerme ya solo. Sin embargo, durante aquella separación, Señor, aún pensaba yo en mi madre como un niño; mis cartas llamábanla "mamá", "mamacita", y las suyas me acariciaban, cubrían de besos a su muchachuelo. Pasó tiempo, otros años pasaron, y la vida tornó a reunirnos. Fue allá en una ciudad del Norte, donde ciertas ambiciones me llevaron en busca de fortuna, y en la cual ella se sentía extranjera entre las gentes y las costumbres. Entonces, de repente, nos hallamos con que había llegado un camino por el cual debía conducirla yo a ella. Esa mañana trémula y dorada hubo en mi corazón una fiesta, bella de orgullo: dirigía yo a mi madre ahora; yo la imponía de cuanto era discreto y conveniente hacer, porque además de no conocer aquella tierra, parecía ignorar la marcha de los tiempos nuevos; yo, el fuerte, la guiaba, y ella, la débil y remisa, entregábase a mi saber y mi prudencia.

Un día llega siempre, Señor, en nuestra vida, a partir del cual, como empieza el árbol a dar sombra y abrigo a sus raíces, los hijos comenzamos a cobijar a nuestra madre. Esa mañana trémula y dorada, siempre hay una fiesta en nuestro corazón, bella de orgullo; pero también perdemos el supremo bien de una madre que nos besa, nos cubre y nos protege cuando estamos desarmados.

Desde entonces mi viejecita es una criatura que yo conduzco de la mano.

Y ahora no sé, madre, qué dicha vale más: si aquélla de cuando tú me amparabas porque yo permanecía el más débil o ésta en que mi alma pone un brazo alrededor de tus hombros y te lleva como a una hija.

No lo distingo, madre. Apenas veo que aquella fiesta es hoy un duelo, porque me ha dejado solo.

Madre mía, ¿qué te has hecho? Viuda y huérfano, mucho nos quisimos siempre, y tu amor fue mi felicidad más segura.

¿Y hoy?

¡Ah, desearía ser de nuevo yo el niño! Necesito de ti; decirte no madre, sino mamá, y entibiar mi corazón en tu regazo.

¿No puede ya ser?

Releo tus palabras. Me pides consejo. Me miras ahora más arriba todavía. Soy el sacerdote; para ti, casi la omnisciencia, el ministro de Dios...

¡No, ya no puede ser!

Me resta sólo hacer silencio en mi espíritu, sentir allí la presencia del Señor y a Él ofrecerme.

¡Deja, Señor, que también a Ti te vea!

Anoche, por un instante, había logrado cierta exaltación de la subconsciencia. Me vi a punto de alcanzar el místico contacto. ¿Por qué mi alma se derrumbó de nuevo?

Yo esperaba, Señor. Anoche, yo esperaba...

Aun después seguí yo esperando, tenaz, con toda la fuerza de mi devoto anhelo. Procuré reconstituir el mismo estado en que un rato antes casi me arrebatara encendido a tu reino. Quise reconstruir la misma escena, acompañándome de los objetos y circunstancias que momentos antes me rodeaban propicios. Puse la vela en forma que la luz quedase a mi espalda; me arrodillé con fervorosa lentitud sobre mi reclinatorio, en idéntica postura, y atenuando la respiración, fija la vista en la cruz sin efigie y negra, colgada sobre el muro blanco a mi cabecera, repetí plegarias iguales, iguales pensamientos de súplica y elevación.

Pero... Nada, Señor. Mis nervios se habían enfriado nuevamente. Yerta la emoción, nada pude obtener. Sólo conseguí atención para los detalles. Murmuraba las preces como menesteres, las ideas empeñábanse en hacerse racionales y no volvía la divina llamarada.

Luego, Dios mío, Tú lo sabes, me gasté; caí en un vacío cansado y estúpido. Hasta que, doblado por la fatiga, me tendí en mi camastro para reflexionar bien al menos. Pensé mucho. Me aclaraba y me oscurecía otra vez.

Y había llegado, también por esta vía del discernimiento, a la esterilidad estúpida, cuando la mecha de mi vela ya consumida empezó a chisporrotear y a cubrir con aleteos de sombras las paredes.

Esto me trajo del mundo de las ideaciones al de la realidad presente, a la hora; y... Señor, la fatiga y el sueño fueron tu única clemencia.

Dormí larga, pesadamente. Cuando Fray Rufino arregló mi celda esta mañana yo aún dormía. El santo hermano supo descalzarse para no interrumpir mi sueño.

Ahora, en pie, reviso todo esto con el cerebro entontecido.

El Padre Guardián me cita en su escritorio para corregir pruebas de nuestra *Revista Seráfica.* Vamos allá. ¿Qué le contestaré cuando me pregunte cómo me siento?... Bien, le diré.

Sí, muy bien estoy... Sin esperanza de todo pío encendimiento, sin fe ya en las consultas de confesión, sin consuelo posible de mi madre, sin un amigo íntimo siquiera en el Convento, sin poderme sentir al menos en comunión con Fray Rufino, a quien entiendo, pero en cuyo tono espiritual jamás nuestros temperamentos hallarán un acorde...

Y mañana cumple mi retiro, mañana saldré otra vez a mis clases y mis oficios... Tengo miedo, Señor. La encontraré. Toda lógica lo dice...

¡A ella la veo, Señor! ¡Deja que también te vea a Ti!

No reanudé hoy mis clases. Vi seguro el encuentro con María Mercedes, y me invadió repentinamente un miedo invencible.

De muchos males acusan por ahí al miedo. Le achacan la paternidad de la superstición y de otras flaquezas humanas. Tal vez haya cierta base para ello: no resulta fácil distinguir dónde termina el miedo y la cobardía empieza. Pero el miedo no implica inferioridad. Nadie presiente mejor que un miedoso; y es que el buen miedo, o nace de una clara y enriquecida conciencia, o emana de no sé qué ancestral experiencia hecha instinto. Puede así decirse que es la prudencia de la sabiduría.

Esta mañana él me salvó. Por lo menos me permite ahora ganar tiempo, lo cual importa mucho. ¿Quién asegura que después el encuentro no se produzca exento de peligro? El curso de toda emoción traza en el tiempo una parábola. Aun algunos sentimientos que juzgamos eternos no son sino parábolas cuya línea, interrumpida por la muerte, desciende más allá de la vida. Y si hay parábolas descritas en un espacio demasiado vasto, siempre cabe más esperanza, mientras mayor es el tiempo que se gana.

¿Acaso mi pasión por Gracia no acabó?

En fin, me alegro de haber sufrido ese miedo.

Luego de ayudar a Fray Luis una misa en el altar del Rosario, me había quitado a prisa el roquete y, puesto de nuevo el pechero con el capuz, apresurábame hacia mi clase.

Salí al patio por la puerta de la sacristía, orgullo de tres siglos, asombro de anticuarios y artistas, baja y ancha, rica de jambas y dinteles historiados, tallada en oscuro nogal como un retablo. Al transponerla experimenta uno la sensación de pasar por un mueble oloroso, estático y sumido en arcaico sopor.

Bajé los tramos y seguí al claustro colindante con la iglesia. Hemos cegado allí la columnata por medio de una muralla, para impedir a los curiosos registrar desde las naves el Convento, y hay una suave luz que sosiega y recoge.

Pero no bien hube dado unos pasos, cuando vi asomar por el portón lateral de la iglesia la cabeza de María Mercedes. En el acto, rápido, me oculté. Ella miraba en dirección opuesta, y, antes de que se volviese, yo había logrado meterme en uno de los confesionarios recortados en el muro. Son dos nichos angostos, con poyal, dos huecos en la forma de dos frailes sentados; tienen ventanillas a la nave y, hace medio siglo, todavía confesaban por ellos los penitenciarios en la cuaresma, cuando hasta de los campos afluían los fieles en muchedumbre tal, que apenas conseguíase respirar en el templo.

Allí, tragado por el muro, apretándome a su mampostería, agazapado, inmóvil, permanecí un largo cuarto de hora. Roncaba el órgano dentro; la pared... El edificio entero temblaba de música, y yo, incrustado en él, era también un trémulo sillar, incorporábame a esas piedras que las ondas acordes impregnaron durante varias edades y que hoy son ya un arca sonora, tremolante y viva.

Una disputa en voz baja llegó a mis oídos. Quienes la sostenían hallábanse sin duda en el portón de la iglesia. No percibí una palabra. Pero de pronto sonó un portazo, y comprendí: podía salir ya.

En efecto, el lego portero había cerrado.

—¿Qué hay, hermano?

—Y usted, Padre, ¿qué hacía metido ahí?

—Tuve un vahído. Pasó ya, con el favor de Dios. ¿Qué ocurría? ¿Con quién discutía usted?

—Con una señorita. Le hacía yo saber que aquí las mujeres no deben ni asomarse. Y a usted lo buscaba. Era esa parienta suya. Le rogué que lo esperase en el locutorio.

—Sí, ¿eh?

—Sí. Todos los días ha preguntado por usted. Hoy le dije que ya estaba sano y que iría luego a su clase.

—No, hermano. Que se vaya. No salgo ahora tampoco. No me siento bien. Ese vahído... En fin, no salgo. Y conteste que no recibo a nadie

En seguida busqué al Guardián y excusé mi nueva postergación de las clases. Por comodidad para mi salud, convinimos además en cambiar nuestros horarios del noviciado: él, que enseña griego por la tarde, lo hará por la mañana, y yo tomaré sus horas.

Ha sido una idea. La mano de Dios, la obra del miedo. Ignorando ella este cambio, acaso no me detenga muy pronto en el camino. Y ganaré tiempo, y me repondré más, y tal vez, cuando caiga la línea de esta parábola, habré recobrado mi serenidad.

Hemos tenido la primera lluvia. La primera lluvia cae siempre de sorpresa y deja su encanto sencillo en el corazón. Es como una égloga que oímos por primera vez. Cuando ambas terminan, el Sol nos parece una cosa nueva.

Yo hice mi camino al noviciado bajo la nubada joven, que se desmenuzaba con brío encima de mi ancho paraguas de algodón y sobre las calles gozosamente alborotadas. No encontré, por supuesto, a María Mercedes en ese viaje. Tampoco la he visto después en parte alguna. Mi precaución rindió su fruto, y nada turbó mi blanda alegría.

Pero luego por dos días ha estado cayendo el agua en hilos grises, del cielo gris al Convento gris, y ya esta noche, aunque había escampado, no sé qué tenía yo. No lograba dormir. Figuraciones enemigas empezaron a excitar mi cerebro, y como no ignoro de qué manera la semifiebre del insomnio agiganta esas imágenes en la oscuridad, decidí vestirme y escapar a tiempo al aire libre que despeja y calma.

No hallé, sin embargo, agradables el patio y los claustros. La atmósfera, húmeda y espesa, confundía los árboles en una sola masa, y en las galerías la sombra parecía caer de las bóvedas como un manto penitenciario.

Por esto me encaminé al solar.

Y ahora te agradezco, Señor, el haber guiado allá mis pasos. No sólo tranquilo vuelvo a mi celda, sino esponjado también por la más seráfica y ejemplar ternura.

¿Puede alguien imaginar en el mundo lo que yo acabo de ver allí?

No bien pongo en el solar los pies, débiles ladridos, aullantes y cariñosos, mezclándose a una voz humana que a su vez acaricia, llegan a mis oídos. Todo lo encapota la niebla. Nada se divisa. Pero yo pienso en el acto en nuestro viejo mastín, que hace años guarda el portón de la huerta y está enfermo desde ayer, y con él supongo a Fray Rufino, su médico. Sé que temprano le dio unas cucharadas de aceite y que después el animal ha seguido sufriendo, y respira corto, y tiembla de fiebre.

¡Pobre *Mariscal*! Vamos a ver eso, me digo.

Y avanzo por las tinieblas, junto a la tapia. Es difícil por allí el camino, a causa de los pedrones y los charcos; pero más a la derecha, a donde la luz de la calle alcanza por sobre la pared y convierte la bruma en claro vapor azul, me descubrirían. Y yo no lo quiero.

Sigo, pues, a tientas. La neblina, muy fría y licuable, me moja las pestañas y cubre de gotas mi sayal.

Poco a poco se aproximan las voces. Ya siento a *Mariscal* acezando. Ya distingo los cuerpos, dos manchas compactas entre la bruma. Unos pasos aún, bien pegado a los adobes y pisando leve para que no suenen mis sandalias en el barro, y los veo claramente. Me detengo, me oculto, me repliego, atenúo la respiración... No sea que su vaho me delate.

Fray Rufino está en cuclillas. Tiene delante al perro y con amoroso afán le fricciona el lomo, los flancos, el pecho. Usa para ello algo que saca de una marmita.

—Así... Así... —va diciéndole fraternal—. ¿Sientes ya el calor? Pica, ¿no es verdad, viejo? ¡Ah, pobre *Mariscalote*! ¡Mi buen *Mariscalote*! Sí, pica mucho. Pero Dios nos ha dado la mostaza para esto cabalmente... Cabalmente para esto... Bien... Acabamos... ¿Qué tal?... ¿Estornudas? ¡Qué cómico!

Y se levanta. Se me ocurre que, observando el resultado de su obra, sonríe.

La bestia se huele y estornuda más fuerte. Luego se sacude, azotando con flojedad las orejas contra su pobre cabeza doblegada.

—¡Oh! No te sacudas tanto. Basta. ¡No!

Mariscal obedece.

Ambos se miran. Ignoro qué significa la mirada del mastín. Pero Fray Rufino lo sabe, porque le responde:

—Tampoco, mi viejo, tampoco. Eso, por nada.

Se entienden como dos semejantes, porque Dios ha querido reservar para los humildes y los animales la perfecta inteligencia de la sencillez integral.

Fray Rufino se agacha frente a la caseta del perro, introduce los brazos y arregla las cobijas.

—Ven —ordena en seguida—. Aquí, abrigarse ahora.

La bestia le mira una vez más. Tan decaída, ni mover el rabo puede. Mucho menos saltarle encima y, entre aullidos de alborozo, lamerle la cara, como acostumbra. Sólo sus ojos agradecen, sus ojos tristes y buenos que yo veo fosforescer en la sombra.

—Ya, *Mariscal*; entra.

El perro camina entonces lerdo, agachado. Todo su cuerpo cuelga sobre las patazas debilitadas. A poco andar hace un alto. Nuevos estornudos. Alarga el pescuezo. ¡Tiene unas ganas de sacudirse!... Pero ve a Fray Rufino y las aguanta. Al fin, resignado, se cuela en la casucha.

Y Fray Rufino coge la escudilla con la mostaza, busca no sé qué por el suelo y se dispone a retirarse, cuando alguien, sin duda un borracho que pasa por la calle, descarga en un tumbo todo el peso de su persona contra el portón.

Violento, salta el perro fuera de su guarida y se pone a ladrar. Está furioso. Es el terrible *Mariscal* de siempre. Ha despertado súbita su bravura ante el peligro. A pesar de la postración, halla fuerzas para cuidar su puerta.

—¡Eh! ¡Quieto! —le tiene que atajar Fray Rufino.

El fraile ha sido rápido también ante el peligro de su bestia enferma. Vivo y lleno de contrariedad, se ha quitado el manto y lo ha tendido sobre el animal.

—Tienes pulmonía. Y si ahora, con el cuerpo caliente por la fricción, te destapas y sales al aire helado, te morirás. No, no, pobre *Mariscal*, no. Sé juicioso.

Le cuesta mucho sosegarlo.

—¿No comprendes que se trata de un borracho inofensivo? Vamos, calla. Vuelve adentro. Además, eres cándido, pobre de espíritu y fanático. Te figuras ladrones a todos los hombres. Y no, mi viejo, no lo son; ni se toma el deber con exageración tampoco. Eso se llama fanatismo, ¿sabes?... Bien... A dormir ahora, quietecito. Aunque... Espera...

Lo arropa, lo enfardela por completo en el manto.

—Así. Estás con pulmonía, ¿comprendes?

Aplacado y envuelto como un duende, regresa *Mariscal* a su caseta.

Pero aun allí gruñe. Se teme que salga, pues no quedó conforme.

—¡Eh! ¡Calla! ¿O no me dejarás recogerme a mi celda?

Contesta el rabo cariñoso dentro, a golpes contra las maderas. Però al menor ruido tornan los gruñidos roncos.

—¡Hum! Basta, simple. Yo estoy aquí, en todo caso.

Otros golpes de cola responden, aprueban.

—Eso te gusta, ¿no? Que te acompañe. ¡Habráse visto! ¿Me vas a obligar a vigilar por ti?

El coleo se repite.

—Tonto, retonto... ¡Qué majadería! Sólo faltaba que te sustituyera toda la noche, y con el tiempo que hace...

Sin embargo, no se marcha. Vacila, regaña entre dientes, busca si habría dónde sentarse. Y concluye haciéndolo en el fuste de una columna truncada que asoma entre los escombros.

En realidad, *Mariscal* quedó muy excitado. Es guardián celosísimo. Además, un humor de enfermo le irrita. De modo que le alarma y enfurece cualquier cosa, un rumor, el distante aullido de otro perro, dos trasnochadores que conversan fuera, un automóvil que irrumpe como una exhalación estrepitosa por la calle vecina y se aleja, todo.

—Bien. Yo vigilaré. ¡Paciencia! Pero no salgas. Te mueres si sales ahora.

Yo siento deseos de aparecerme a este nuevo siervo del amor, y hablarle con ternura, y cederle mi capa. Si permanece allí toda la noche le calará la bruma, lo recogeremos yerto mañana. ¿Por qué no ejecuto el impulso? Acaso porque apenas inicio un ademán la sensibilidad vigilante de *Mariscal* me presiente en la sombra, y la inquietud renace y aflijo al santo. Acaso Tú, Señor, dispones que al menos allí, en ese mundo secreto, mientras duermen los demás, vele sin atenuantes ni tibieza tu Evangelio, y lo practiquen dos seres que te aman y sirven oscuros, insignificantes e inflamados. Lo cierto es que algo superior a mi piedad me impide mezclarme.

Y sigo inmóvil y atento.

Una ráfaga viene a estrellarse contra el suelo, rebrinca entre los terrones y, arrastrándose, va y choca en la caseta. Luego caen unas gotas frías. Ladra *Mariscal*.

—¡Chist! Es la lluvia. La lluvia que amenaza, ¿entiendes? Mayor motivo para no moverse...

Y tras una pausa:

—Hace frío, *Mariscal*. Te aseguro que a no ser por la Divina Misericordia, que me va insensibilizando, no sé cómo te cumpliría mi promesa. Pero estoy perfectamente. Comenzó la insensibilidad por los pies, y ha subido. Me siento a ratos como elevado en el aire. Pero estoy perfectamente. Y al cabo, si esto resultara excesivo, aquí están las disciplinas para entrar en calor.

Yo pienso, esta vez, sí, auxiliarle. Y no puedo; lo evita una fuerza. Ya no lo dudo.

El tiempo transcurre.

A intervalos, escucho los toques de la cola que agradece. El fraile, como si fuera menester al perro saberle allí para estar tranquilo, advierte de minuto en minuto:

—Aquí me tienes, sí. No temas, tontonazo. Duerme.

Entonces flota en la noche un sentimiento de amor y de piedad, algo que hace estremecido el ambiente y a los dos hermanos iguala. Hombre y perro son dos corazones limpios que se hallan contentos, porque se aman y se sienten muy unidos.

Pienso dejarlos en paz, irme. Es la voluntad de Dios.

En esto se arma en la calle un tumulto. Riñen. Ha parado un coche. Grita una mujer. Dos hombres se insultan. Y *Mariscal* asoma de nuevo iracundo. Pero Fray Rufino, más listo que él, se le ha puesto en la boca de su vivienda y le contiene.

—¡Calla! ¡No sigas! ¡No! ¡No ladres tampoco! El pulmón se maltrata...

Forcejean.

—No salgas. ¡No! Yo vigilo. ¿No ves que yo vigilo? Y calla. Se maltrata el pulmón, te digo... El pulmón... ¡Imprudente!...

Mientras afuera las blasfemias azotan el aire, y el policía llama con el pito, y chilla la mujerzuela, ambos luchan jadeantes en la puerta de la caseta.

Por fin se calma todo. Aquella mala gente se ha ido.

Pero tan excitado pusieron a *Mariscal*, que ahora ladra sin descanso. Se cree de veras que sus pulmones se desgarrarán.

—¡Chist! *Mariscal*, hijo, ladrar también te hace mucho daño, ya te lo he dicho —ruega Fray Rufino—. ¡Válgame la Santísima Virgen! Calla, viejo. Mi viejo, calla. Que reposen tus pulmones. Calla. Estoy yo aquí. ¿No me ves? Nadie se meterá por nuestra puerta. ¡Oh! Silencio. Por último, ¿de qué sirven los ladridos? ¿O los crees indispensables? ¿O crees que yo deberé también ladrar por ti, para que duermas tranquilo?... Bien, sea. Ladraré. ¡Guau! ¡Guau, guau!...

Yo, que aproveché la bulla para retirarme sin que me sintieran, me detengo estupefacto.

Hay paz ya. Pero de rato en rato, por miedo, seguramente, a que se alarme de nuevo el perro y hiera sus pulmones enfermos, lanza el fraile sus ladridos en la noche.

—¡Guau! ¡Guau, guau!...

Y cuando me interno en los claustros aún me llegan al corazón, lejanos, atenuados y sin embargo penetrantes como una voz dulce y terrible del misterio de la santidad, aquellos ladridos que de nosotros, los tibios y racionales a quienes empequeñeció esa menguada noción del ridículo, nunca el cielo ha de oír.

—¡Guau!... ¡Guau... ¡Guau, guau!...

Dos horas, tres horas... Sabe Dios cuántas horas llevo consumidas. Toda una noche de fatiga baldía me derrumba; y ahora, con el espíritu ya pesado y como quien se tumba de bruces, vengo a dar con mi pena en éste mi único refugio material: mi carpeta de papeles. En ella la disciplina de la forma ordenó tantas veces mis pensamientos confundidos...

No. Ya no debo esforzarme más por escalar un ponderado misticismo.

Presencié la escena de Fray Rufino y el mastín, y tan edificado por su piedad llegué a mi celda, que mi exaltación se revolvió en un ávido, alocado anhelo de obtener el místico contacto. Pero en el vano empeño la noche ha ido transcurriendo, como la otra vez, y sólo he conseguido este cansancio, y este caer encharcado en el desaliento, y el sufrir viendo cómo, al meditar, mi fe vacila y se achica en la razón.

No debo esforzarme así. Basta. Cada cual tiene su talla espiritual y de nada valen los empinamientos excesivos.

Al contrario, quien demasiado se empina, por hallarse parado únicamente sobre las puntas de los pies, está muy expuesto a la caída.

Y noto ahora que en los momentos en que más deseo ser místico es cuando peligra más mi fe.

Me reservarás, Señor, otro camino. Hágase tu santa voluntad.

¿O será que, sucio el vaso, cuanto en él viertes se agria?... *Sincerum est nisi vas, quodcumque infundis, acescit...*

¿Tiene, Señor, ella la culpa entonces?

Recuerdo aquella tarde, la segunda vez que la vi. Me hallaba en el coro, solo, después de la meditación. Mis hermanos habíanse ya retirado y yo quise avanzar hasta la baranda. Elevábase a Ti mi alma en el recogimiento del templo cerrado, inmenso y hueco, lleno de silencio, de penumbra y de santidad. Allá abajo, lejos, desde la tarima del altar mayor, el humo del incensario puesto ante el Santísimo subía quieto, delgado, hasta lo alto. Ya en la altura, se torcía en ancha comba, para venir hacia el coro, hacia mí. Y entonces una golondrina que se había metido en la nave comenzó a romper en vuelos violentos la senda del humo, yendo a chocar desatentada contra las filas de canes retorcidos que sostienen la gran techumbre plana de la iglesia. Minutos después se abrió el templo para el rosario, los bancos se fueron poblando, y la vi.

¿Tiene, Señor, ella la culpa? ¿Ha venido a cortar ella la blanca senda de tu gracia cuando a mí venía?

Pero si hasta hoy la pobre niña, como la golondrina, no hace sino chocar desatentada contra los muros de tu casa.

En fin, estoy enfermo, Señor. Mírame. Ten piedad de tu siervo. Dime si no lograré alcanzarte, como Fray Rufino, por la vía de la beatitud. Si más baja es mi rúta, indícamela. Yo la sabré seguir. Sufro, estoy enfermo y sufro...

¿Ya tocan al coro? Era natural. Ha llegado el día.

Y llaman a mi puerta.

Voy.

Era el Padre Guardián.

¡Discreto Fray Luis! Al verme se ha quedado al prónto unos segundos observándome. Le causó extrañeza mi semblante, sin duda, mi palidez de insomne. Pero yo debo haber hecho un gesto de tristeza importunada, ese gesto que anticipa el tedio de las explicaciones, porque, comedido y humilde, se ha limitado entonces al fin que le traía.

—Un conflicto, Fray Lázaro —me ha dicho con dulzura—. Y no sé si llego en buena hora donde usted.

—Diga, Padre.

—Que Fray Bernardo amaneció indispuesto y, usted sabe, debía salir hoy a las nueve para San Francisco de

Mostazal a cumplir allá los oficios de Semana Santa.

—Con Fray Elías.

—Con Fray Elías. Exacto. Pero he venido a verlo a usted porque no hay otro. Todos tienen asignados ya sus servicios para la Semana en nuestra iglesia. ¿Comprende?

Comprendí. Comprendí que Dios me señalaba ya un camino, y:

—Bien, Padre —le repuse confortado—. Yo debo ir. Y sabré ayudar a Fray Elías, porque también él sabrá dirigirme.

—Y..., ¿tampoco su salud sufrirá, hermano?

—*Tampoco.*

He subrayado este "tampoco"; pero ajeno a toda irónica intención, pues he continuado sin pausa y con humildad sincera:

—Iré, Padre, por la santa Obediencia, y además, créame, porque en Fray Elías quiero servir hoy especialmente a Dios Nuestro Señor.

—Él lo bendiga, hermano.

—Él dé la salud a mi alma.

Y luego nos hemos separado.

Así es que voy a ponerme a las órdenes de Fray Elías.

¡Y loándote, Señor; que no bien alcé a Ti mi súplica, me has indicado la ceniza en que tu siervo ha de humillarse para que le salve tu perdón!

¡Pecador sentimiento de última hora!

Todo está pronto. Salgo dentro de pocos minutos. Iré a ese pueblo, lo he querido. Sin embargo, cuando aquí venía para cerrar mi celda mi corazón lloraba: "Ocho días permaneceré allá... ¡y diez llevo ya sin verla!"

Pecador sentimiento. Bien lo sé. Y por esto, antes de guardar estos papeles, debo confesarlo. Castigo así mi insuficiencia e imploro fortaleza para mi débil corazón.

Pues bien, heme aquí de regreso.

Partí atribulado, complicándome; llevaba para con Fray Elías propósitos de una humildad exaltada y algo... ¿cómo diré?... algo untuosa, y he aquí que, a pesar de no haberse cumplido seráficamente mi esperanza, y aunque se ha burlado una vez más de mi romanticismo esta vida sobre la tierra, vuelvo contento. Aún se me ocurre que vuelvo más sencillo.

Sí, me alegro de haber ido.

Pero... ¡bendito sea Dios!... nunca sabemos de antemano qué nos guardan las horas. Ni una sola situación ejemplar de las que premedité se produjo. Nada.

Cierto es también que tuvimos gran tarea. En ese convento abandonado, cuyas puertas sólo de tarde en tarde abrimos, todo hubo de improvisarse. Y en el afán volaron los días, y el quehacer de la liturgia encerró en un fanal recóndito el espíritu con sus torturas.

Apenas si por las noches tuve algunos minutos de quietud. Me acodaba entonces un rato sobre unos viejos balaustres y miraba la noche, la noche abierta en despoblado. Sin luna, la noche abierta en despoblado nada ofrece que ver: las tinieblas ahuecan el campo y no hay movimiento sino allá en lo alto, en las estrellas de latir silencioso.

Sin embargo, sólo entonces perciben los sentidos algo tangible de lo infinito.

Pero yo no podía pensar ni sufrir. La fatiga del cuerpo, y también la ausencia que nos aleja de nuestro peligro, rebajan a un tono apaciguado el alma. Así mi dolor parecía derivado en una sensual melancolía, eco vago de una ensoñación desvaída y dulce.

Entretanto... bien lo sabes Tú, Señor... roncaba Fray Elías a mi espalda, dentro de nuestra celda común.

En fin, "se sirve Dios como un hombre", ha opinado él siempre. Y acaso no sea yo sino un romántico.

El hecho es que, aunque nos reconciliamos, las cosas tramáronse en cierto modo al revés. Atisbé yo minuto a minuto la ocasión de un fervoroso rasgo franciscano que, humillándome a Fray Elías, le edificara y nos uniese en el amor; pero transcurrió el tiempo, y sólo prudencia y tacto para no rozar nuestro viejo rencor había entre nosotros.

Hasta que llegó el jueves, y después de su sermón de tres horas, rojo aún de congestión, se me acercó él sonriente:

—¿Y? ¿Qué tal, Fray Lázaro? —me preguntó—. ¿Habrá llorado la gente?

—Sí. Claro. Yo he visto algunas mujeres...

—¡Ah, lloraron! Entonces está bien. Y yo que me encuentro frío. ¿No?... Pero soy difícil de palabra; no me sé adornar; me falta brillo, llamarada oratoria... ¿No?

—Fray Elías, la palabra fácil y brillante cautiva y deslumbra; la mesurada es majestuosa.

—¡Oh, Fray Lázaro! ¡Oh! ¿Majestuosa mi palabra? ¡Bah, bah, bah!

¡Qué contento se puso! Así quisiste obrar Tú el milagro, Señor. *Non nobis, Domine, nos nobis, sed nomini tuo da gloriam.* La gloria es tuya.

¡Qué contento se puso! Discutimos de oratoria todo el resto del día; él, apocándose, con razones que deliberadamente su adulada satisfacción debilitaba; yo, arguyendo recio en su favor, quedamos muy unidos. Retozaba en nuestros pechos ese placer de los niños cuando se reconcilian, y tanto, que hasta el Viernes Santo resultó alegre para nuestras almas infantilmente encendidas.

Tú sabes, Señor, por qué lo has hecho así. Yo estaré un poco desencantado; pero Tú sabrás por qué lo has hecho así.

De manera que siempre me alegra el haber ido.

Desde luego, al volver a Santiago venía como en brazos de una loca alegría. Largo se me hacía el camino.

¡Ah!, y de vuelta de la estación pasamos por la esquina de María Mercedes y pude mirar muy sereno su casa. Era media tarde; un coche había detenido a la puerta —el de sus dos tías viejecitas— y una sirvienta sacaba en una bandeja una taza de té para el cochero.

Las cinco. Nada tengo que hacer hasta mañana. Y no entro en sosiego.

Después de un trabajo largo y urgido, el verse así de pronto, desocupado, más bien intranquiliza. Las primeras horas del descanso se parecen al estado tenso y vibrante de una interrupción. Es como si algo esperásemos. Hay que acomodarse de nuevo en el ocio.

Por esto salgo a cada rato al claustro, a cada rato vuelvo a entrar en mi celda, y ando de aquí para allá. Suena el silencio. He barrido, he sacudido, y siempre huele a polvo. Mi sayal huele a campo todavía, a humo, al humo de aquel potrero.

No se va esta sensación de espera. Pienso que cuanto en mi celda tengo me ha esperado y esperándome continúa, y me dice: Aquí estamos, pues. ¿Vamos a reanudar nuestra vida, hermano?

Desde mi sillón de vaqueta lo reviso todo.

Es pura mi celda, grata su austeridad monacal. Un cuarto alargado y alto, blanco y negro. Cuatro muros de cal sin un cuadro, siete vigas desnudas, y el enladrillado, que los años han puesto gris. Sobre la blancura de la pared pende a mi cabecera la cruz de pino, negra y sin efigie, y con ella mi palma bendita, mi rama de olivo y mi cirio de la buena suerte. Luego unos trastos muy pobres.

Pero poseo además mi mesa, con mi señor Crucificado y mis papeles —mi vida— siempre a sus pies. Voy a encender su lámpara. Después me iré al coro, y al refectorio en seguida. Y mañana... mañana lo que Tú dispongas, Señor.

Y sin embargo, da pena.

¡Pobre Fray Rufino!

Tanto ha cambiado en estos ocho días, que al verlo ahora en el refectorio me estremecí. Alarma la maceración de su semblante, sobre todo porque no alumbra en sus ojos esa celeste alegría que dignifica siempre sus actos más singulares.

¡Con qué extravío estará mortificando su carne!

Pero, Señor, cualquier cosa me habría figurado como explicación, menos lo que me ha dicho. Eso... es grotesco en él.

—Penas sucias, hermano —me ha dicho cuando, al terminar la comida, le di el encuentro en el patio—. Bajezas del "hermano asno", Fray Lázaro.

Llama Nuestro Padre San Francisco al cuerpo "el hermano asno" por la mucha grosería con que a él y a sus compañeros solía perjudicarles en la vida.

—¿Y a usted, Fray Rufino... ¡a usted!... le tienta "el hermano asno"?

—Me avergüenzo de mí. ¡Envilecido, grosero me tiene! Se me sube a la mente, me persigue con visiones. Ya no sé dormir. Y si sueño... ¡Oh, basta, basta!

Perdóname, Señor; pero aun sintiéndolo de todo corazón, la sorpresa me hizo reír.

Por suerte pasó en ese momento Fray Jacobo gruñendo. Nos hizo un guiño, mostró el breviario y rezongó:

—¡A la suegra! ¡A la suegra hasta morir!

Y he podido reírme francamente entonces.

—¿Qué dice? —me preguntó Fray Rufino.

—Protesta del breviario.

—¡Cómo!

—Usted conoce la broma del Convento: al breviario, por la tiranía que impone, ya que hay que rezarlo íntegro todos los días, solemos llamarle "la suegra".

He podido reírme así a mis anchas, pues reímos ya los dos.

Y sin embargo, da pena. ¡Pobre Fray Rufino!

No sé qué me indujo a seguir por esas calles. Había supuesto ya que por ahí la encontraría. No sé qué me indujo.

Aunque, sí, ahora lo comprendo: muchas veces, bajo el miedo amoroso, hay una escondida avidez de peligro.

Pero... ¿a qué ponerme a escribir, si no podré calmar hoy mis nervios escribiendo? El encuentro me ha removido demasiado, y el amor y el remordimiento son como dos planchas que oprimen y harán estallar mi corazón.

Me voy afuera, al aire.

Andaré, andaré, andaré hasta rendirme, porque me entregaré de seguro aquí a mi sufrimiento y se sufre en la medida que nos entregamos al dolor.

Sí, ¡afuera! ¡A ver si consigo salirme de mí, Dios mío!...

Incurrí en todas las torpezas y en todas las debilidades. Lo reconozco. ¿Y por qué? Por apocamiento. Por apocamiento y porque, ya lo dije, hay a menudo bajo el miedo amoroso una escondida avidez de peligro. Sí, con una especie de tino invertido, fui procediendo cabalmente al revés de como debía.

Hoy distingo íntegro el proceso. ¡Claro!, no es difícil ver un proceso cuando su fin se ha consumado.

Porque, además, ya la buscaba yo. Esas salidas sin objeto constituían una inconfesada manera de buscarla.

Y recuerdo también ciertas divagaciones de iluso entretenido en el trayecto a mis clases. Eran sólo arabescos de la imaginación, meros imposibles, como los proyectos que uno forja en el mundo cuando sueña verse de improviso dueño de una gran fortuna; imposibles de esos en los cuales la conciencia real no participa, sino más bien se vuelve de espaldas, para dejarlos del lado de los absurdos que ni se temen, ni siquiera se recuerdan poco después.

Al pisar de nuevo esta Casa, en cambio, era siempre yo, Fray Lázaro, abrazado a tus plantas llagadas, Divino Jesús. en definitiva.

No podría precisar cuántas tardes divagué así. No se guardan en la memoria consciente esas divagaciones. Ellas sólo esperan, sumisas y como ignoradas, la vuelta del instante ilusorio, y entonces mecen, mecen solapadas el corazón. Porque resurgen, resurgen siempre. Y un minuto llega, en el cual, si no traicionan, si no desplazan la conciencia, desarman y doblegan nuestras fuerzas y no sabemos ya defendernos.

El hecho es que me topé con ella de improviso. Más de un sobresalto, perfectamente dominable, no hubo en mí; el cómodo continente de la beatitud me mantuvo digno.

La saludé fino y hasta natural, pero dentro de la línea de humildad y sencillez que nuestro Padre nos impuso.

Pero ella, como si el ensueño de los muchos días en que no nos vimos la hubiera hecho suponer que ambos anhelábamos definir nuestra situación, se condujo vehemente. Había en ella como un apuro por decir cosas mucho tiempo alistadas, y una excesiva claridad, si no de palabra, de intención, que anulábame por instantes la máscara de beatitud. Me ponía rojo, y revelaba a mi pesar hasta dónde reconocía yo el alcance de sus frases.

Comenzó hablándome de cuando estuve enfermo, de sus preguntas diarias por mi salud al hermano portero, de cuánto me había buscado en mi camino a la Recoleta. Sabía mi viaje, todos mis pasos los conocía.

Y de pronto, con ese su modo de abordar las cosas sin preámbulos, me dijo, deteniendo con un ademán nuestra marcha:

—Mire, yo le recuerdo a otra persona. Sí, no lo niegue. —Y frunció el ceño como una chica mimada—. Bien; esto es horriblemente fastidioso. Se le mira a una, y entonces una descubre que no estaba sola como creía, sino como enfundada en otra persona. Eso es. Y ya una desaparece, puesta a un lado. Y no, yo no resisto eso. Me exaspera.

—Pero... ¿de dónde saca usted que...?

—¡Hem!... No precisemos; mejor no personalicemos. Yo me entiendo, y usted me entiende también. Así es que... dígame: ¿Yo le recuerdo a alguien? ¿Sí o no?

Creí forzoso negarlo.

—No —dije—, a nadie.

Y fue mi primer error.

—Luego, ¿me mira usted a mí, sólo a mí, y a mí sola me ve cuando me está mirando?

—Naturalmente.

—¿Cierto?

—Cierto.

—¿Lo jura?

—Olvida usted cómo se peca citando el nombre de Dios por una futileza, sin que sea menester...

—Sí es menester. Sí es menester. O... ¿no es menester?...

Puso tal imperio amoroso en la pregunta y tal significación de peligro previó en la respuesta mi ilusión, que temblé. Me pareció que, según fuesen mis palabras, la sentiría volverme la espalda para siempre o entregarme confiada su afecto. Lo sentí rápido, en ese relámpago de la sensibilidad, más veloz que el pensamiento mismo; y lleno de susto le aseguré:

—Lo juro.

Pero en el acto comprendí que había debilitado mi defensa. Entonces, en un repentino esfuerzo por corregir mi nuevo error, le dije:

—Bien. Me voy. Despidámonos.

—¡Cómo!

—Puedo perjudicarla. Despidámonos ya.

—¿Perjudicarme? ¿Por qué dice eso, Mario?

¡Tampoco, Señor, supe resistir a que me llamase Mario!

—¿Por qué dice eso, Mario?

—Porque sí; porque... un domingo, en la iglesia, me di cuenta de que nuestras relaciones ante la gente no les agradaban a ustedes.

—¡Oh! No. Usted sabe, me parece, el lugar que ocupa en mi estimación.

—En fin, la señora Justina entonces. Ella, ni me saludó. ¿Ve usted?

—No lo reconocería. Esa vez no lo reconocería.

—No, María Mercedes. Eso no. Callemos, pero sin engañarnos. No olvide que he sido un hombre de mundo.

Callamos. Resucitó en mí todo el sentimiento herido de aquella misa de once. Las palabras que lo desenterraron emocionáronme de nuevo. Y tuve aún no sé qué pueriles ganas de llorar. Por suerte, ya íbamos otra vez caminando y ella no veía mi semblante.

—Después de todo —murmuró ella al cabo de unos segundos—. Después de todo... ya que tocamos el punto... Es mejor, sí. Oiga. Mario, no se ofenda... Usted es muy comprensivo, ha sido un hombre de mundo... No se ofenda ni me averigüe nada; pero... oiga: Vale más que mi mamá no sepa que nos vemos, porque... porque no. Se ha puesto muy odiosa con la edad, llena de antiguallas, de severidades, de miedos tontos...

Buena la hice por no calcular las consecuencias de una emoción no reprimida a tiempo. Esta vez había sellado además un pacto, un convenio secreto, una complicidad, el pase que franquearía un porvenir, todo un porvenir.

¡Ayúdame, Dios mío, que la suerte de tu siervo en ese porvenir dependerá de la conducta que le inspires!

¡Cómo llueve, Dios mío!

Por cierto que nadie sale hoy a la calle. Sólo por alguna obligación puede alguien salir con este tiempo. Sin eso, nadie.

Y es natural. Ni yo saldría, si no fuera por mis clases.

¡En fin!

No es del todo triste el Convento bajo la lluvia.

Yo miro por mi ventana el patio y los claustros sombríos. Una luz cenicienta lo suaviza todo: el verde frío de los arbustos, el tono de las pinturas y el oro envejecido de sus marcos. Aun el castaño de los sayales se vela suavemente de gris.

Allá, con Fray Rufino, dos legos, arremangados los hábitos, se han puesto a cavar una pequeña acequia para desaguar el jardín anegado. En los vanos del aguacero siento chapotear las azadas en el barro y un olor acre y sano me llega.

Como acaba de concluir el almuerzo, los frailes van y vienen mascullando los rezos del breviario en la sombra helada de las galerías. El frío les obligó a echarse encima el capuz, les ha encendido los carrillos.

Ahora, uno a uno, los breviarios se cierran. Unos frailes se marchan, frioleros; se arremolinan otros un instante y forman grupos entre las rechonchas columnas de las arquerías, para consultar las nubes y predecir el sol.

No escampará, hermanos. Para todo el día tenemos.

Cuando escampa, llena el aire un abierto silencio, gotea la palmera y se oyen a lo lejos los ladridos de *Mariscal*. Pero esto, si ocurre, es hoy muy corto: no tarda el cielo en nutrirse de nuevo, más espeso, y vuelve a oscurecer, y ya no permite oír nada el agua innumerable.

Aquel corro que tiene en su centro al Guardián sonríe deleitado al observar a Fray Rufino. Comentan de seguro ese gozarse eterno en el peligro de sus pobres huesos. A medida que pasean la vista por los árboles desnudos, por el cucurucho negro del ciprés o por el inmenso tejado de la iglesia que sin cesar estría la lluvia, les presiento alabar la santidad del frailecillo. Ellos, con los antebrazos sobre el vientre y embutidas las manos en las mangas de frisa compacta y tibia, limítanse a contemplar la santidad; pero la florifican y, día a día, les conmueven más las bendiciones que derrama ella sobre nuestro Convento.

Es verdad, no se habla de otra cosa ya entre la grey de nuestra iglesia. Cada cual posee un hecho, un rasgo, algo milagroso que contar.

No, hoy no escampa.

Ni yo saldría, si no fuera por mis clases.

Es preciso ser un santo para tener tal videncia.

¿Cómo ha podido penetrar en mi secreto?

¿O es que me hablas, Señor, por boca de ese monje iluminado?

Fue en la sacristía. Él iba de prisa. Pero al cruzarse conmigo se me ha quedado mirando, lleno de piedad y dulzura, y me ha dicho:

—Cuidado, hermano. Ha reincidido. Yo ruego, yo ruego... y usted vacila en su esperanza. Cuidado...

Es preciso ser un santo para tener tal videncia.

Pero yo no vacilo en mi esperanza. Divino Maestro; espero en Ti.

No obstante, si me hablas por boca de ese santo, arreglaré aún mi conducta, seré frío y duro con ella; si Tú lo mandas, la alejaré de mí.

Pero no vacilo en mi esperanza. Desde luego, sé que de esta santa morada nadie me podrá sacar.

No puedo, Señor, tratarla fríamente, y menos con dureza. Guardaré silencio; esconderé yo mi emoción como una culpa —y bien sé que es una culpa—; ella jamás verá lo que pasa en mi corazón; pero no puedo tratarla con dureza o frialdad.

Hoy conversamos en la plazoleta de la iglesia. Hasta la manera de comenzar tenía yo pensada: "No conviene, María Mercedes, seguir viéndonos a ocultas de la señora Justina..."

Y no pude.

Se recapacita a solas, se proyecta... Luego advertimos que el plano de los pensamientos cambia cuando los corazones se hallan frente a frente.

Porque nace el sentimiento, Señor, y es como si un hijo hubiera ya nacido. Hablamos, aun reñimos, y el hijo, allí sujeto por los brazos invisibles con que los corazones se han cogido; el hijo que se cae, llora, gime, sufre, y hemos de sostenerlo fatalmente.

Además, Señor, dime: ¿No he vivido más de ocho años con aquel otro sentimiento y, sin embargo, en la austeridad de tu obediencia? Que aquel otro era triste... Triste será también éste, Señor, porque también ella se irá.

Hoy, con este sol tan luminoso, no hay clima para las torturas.

Ha salido el sol, el hermano sol. después de varios días de aguaceros, y baja de los tejados al jardín como una pendiente de oro y despreocupación.

Salgo, vago entre las plantas.

Con las lluvias, los senderos se han cubierto de musgo. La sandalia pisa en una alfombra verde y resbalosa.

El hermano sol me abraza, penetra mi sayal desgastado y calienta mi carne entristecida. Un sayal desgastado y muy alegre de sol viste al franciscano con su verdadera dignidad.

Pero yo... ¿pecaré, Señor, en esto?... yo quisiera estar hoy allí desnudo bajo el sol, vestido sólo de juventud... ¡vestido de mucha juventud!...

¡Bendito hermano sol, suave y robusto, que haces brotar el lirio en torno a la fuente y le encrespas de ardor los pétalos!

A Fray Rufino algo le sucede. No son las tentaciones del "hermano asno" ahora. Me dijo ayer que le habían dejado al fin tranquilo. Es algo nuevo. Sufre. Lo leo en sus ojos, que por instantes se extravían.

La santidad, Señor, es una dura y a veces trágica merced.

En eso he reflexionado esta noche largo rato.

Como suelo tener insomnios, y en la sombra de mi celda está siempre despierto el murciélago del remordimiento, me recojo tarde, vago primero mucho por afuera.

Eso calma y distrae. Duerme todo el Convento; duermen los monjes, las bóvedas y la fronda; duermen la iglesia y los jardines, y el pozo y las campanas; duerme la tierra, y en estas noches de otoño, cuando ya con el crepúsculo la bruma se levanta, duerme también el cielo. Apenas en algún crucero, entre dos patios dormidos, vela el ojo amarillo de una lámpara; pero aun su mirada es un sopor, reflejo que sobre un marco desdorado se aletarga y se apaga en la tiniebla de una tela antigua.

Hoy anduve mucho por los corredores altos. Hasta que el reloj del campanario dio la una. La campanada única pasó a través de la niebla, por sobre los tejados, como un alma, y como otra alma que penara inmóvil, flotaba la torre entre la bruma que luces de la calle emblanquecían.

Tuve frío y bajé.

Abajo todo cambia: palpita la oscuridad, entibia el aire, se hacen más medrosos los sonidos. Y sobre todo predominan los olores. La sala que fue de los Terceros y hoy hemos llenado con los trastos en desuso, a cada ráfaga evoca las vitelas miniadas de los viejos salterios polvorientos, y facistoles, arcas y credencias penetrados de aceite y de polillas, y brocados deshechos que el hilo de oro oxida.

Se sigue por allí de prisa. En la noche este perfume oprime.

Así pasé también hoy. Pero hoy, al desembocar en el claustro de San Diego, una sombra compacta se arrastraba entre la sombra hueca, y me detuvo. Quedé suspenso. Poco a poco acallé mis latidos. Y cuando mis pupilas habituáronse a la oscuridad reconocí a nuestro santo. Con una gran cruz a cuestas, marchaba de rodillas, rezando la Vía Crucis ante los cuadros de la Pasión allí colgados. En aquella soledad negra y en aquel silencio, el murmurio gimiente de sus preces y el sordo arrastrarse de su cuerpo y del madero contra el piso dañaban el corazón como un anuncio de tragedia. Contuve el aliento, y sin que me sintiese, lleno el pecho de opresión y con un dolor algo irritado, he vuelto a mi celda.

No, hermano; eso no está bien. ¿Y por qué sufres ahora? Los excesos en la penitencia llegan a enflaquecer el juicio...

Yo hablaré contigo.

Esta mañana los hermanos, cuando han ido a barrer el claustro de San Diego, han hallado sangre en los ladrillos. Y, según dicen, no es la primera vez en estos últimos días.

Yo debo hablar a ese hermano enloquecido. Debí haberlo hecho ya.

Pero es que yo también tengo el juicio en peligro, y luchas y cuidados ante Dios.

Ha venido ella a la misa de siete. Está viniendo hace días a la misa de siete. Y me advierte que será por algún tiempo. "En acción de gracias —me explicó— por una merced que Nuestra Señora del Rosario me ha concedido..."

Yo no vacilo, Señor, es mi esperanza. Pero... ella sale a mi encuentro, y mi alma cambia de color como el follaje de un árbol con la brisa.

Muy pobre cosa soy, Señor, si me abandonas. Tengo un gran desaliento... Sólo por este tiempo gris, tal vez, que enerva...

No. ¡A qué cegarse! El día comenzó ya mal, para quebrar el ánimo.

Mientras conversábamos en el zaguán de la portería —palabras inocentes— un joven la estuvo contemplando desde la plazoleta. La miraba, la miraba, la miraba; no perdía uno solo de sus gestos. Pues bien, me fue faltando poco a poco el tino. Y cuando supuse, por una simple idea, que ese joven la esperaba a ella, ha surgido en mí, presto, en pie, violento, Mario. ¡Aquel Mario, Señor, de las fierezas y de las arrogancias!

Perdóname, Dios mío Jesucristo. Olvidado de tu mansedumbre, he clavado en ese hermano mío los ojos. ¡Con qué fuerza! Como dos golpes debió sentir que le caían. Porque se ha turbado entonces por completo y se ha vuelto de espaldas.

Y no había, Señor, razón. A poco salió de nuestro locutorio una señora y él se ha marchado con ella, indiferente.

Sin embargo, a partir de aquel momento ha empezado mi virtud a decaer.

Primero, mundano sin quererlo, he comparado. La juventud de ese hombre, sus grandes ojos pardos, llenos de brío, como los de ella, y sus cabellos brunos, y su aspecto de salud y amable... con mi frescura ya rendida, mis sienes tonsuradas, mi aspecto "tan así"... He visto, con dolor, cómo ya mi color cede y se mancha. La madurez pone a la piel un polvo de ceniza, y a este cambio del color sigue otro de facciones pronto...

Ella me mira no obstante enamorada, he pensado, pecador aún, después. Pero una infinita melancolía cayó siempre sobre mi corazón. Y se ha quedado allí, suspendida, como un susto que aguardase.

Muy pobre cosa soy, Señor, si me abandonas.

Fue corriendo el día así. De pronto me vino a la memoria cierta respuesta de María Mercedes a una amiga, aquella tarde, al salir de la Iglesia. "¿Te figuras que yo, por una buena cara, por el brillo social o por la estirpe, me puedo alguna vez enamorar?"

Y bien, no la virtud, este recuerdo fue mi apoyo todo el día.

¡Triste apoyo! Tengo, Señor, un gran desaliento.

Mas debo confesarte aquí, Dios mío.

Ahora mismo, durante la comida, en lugar de atender a la lectura del martirologio, averiguaba mi razón qué clase de sentimiento acerca a mí a esa niña.

Y no creo que sea el amor, y me entristezco.

Ella y Gracia son ambas dos románticas. A la una, el pianista, con su ambiente de aplauso, la sedujo. Yo fui entonces preferido; era un hombre vulgar, sin historia, sin novela. Para ésta, en la sociedad están los vulgares, y yo... yo soy el héroe. Cuando niña pequeña vio en mí al Mario enamorado y sufriente, en los sueños de la adolescencia lloró a su oído la historia de mi descalabro, poetizada por la toma de hábitos, y tuve para ella una novela.

He ahí todo. No hay un amor vivo y directo, que de fijo ha de aparecer mañana.

Ya ves, Señor, que todo pasará. Ya ves cómo llega la tortura, cómo también este sentimiento será triste, cómo también ella se irá...

Al menos, Señor, sálvala de un mal destino.

¿Y no hay otras fuerzas en su alma?

¡Ah, tengo un gran desaliento!

Pero estoy contigo, Señor, no me abandones.

No asistió a su misa, pero estuvo en el locutorio a media tarde. Nos traía un caballero anciano, senador, según sus propias advertencias, y muy devoto. El buen señor, atraído por la fama de nuestro santo, deseaba implorar por su beato conducto no sé qué favor de Dios.

Hube de ir, pues, en busca de Fray Rufino a su *porciúncula*. Llamamos así seráficamente, por lo misérrima y diminuta, a su celda, un cuartucho arrinconado en el patiecillo de los dos naranjos, donde ahora viven los hermanos legos.

En seguida, presentados, les dejamos a ellos hablar libres al fondo, y cerca de la puerta, discretos, nos quedamos nosotros conversando.

¡Hay, Señor, otras fuerzas en su alma!

Y hay, se me ocurre, cierta base de mística exaltación en sus hiperestesias. Ese ponderado ardor de la sensibilidad a muchas almas lleva, Divino Jesús, a desposarse contigo.

Hice bien en sondearla. He aquí dos rasgos suyos que conmueven.

—¡Ah!, no resulta bendición ser tan sensible —repuso a unas palabras mías.

—¿Por qué?

—Porque se sufre. Una se va quemando, se mata. Pero he sido así desde muy chica. Si yo le contara...

—A ver, cuente.

—Cuando mi confirmación, por ejemplo. Escuche. Me prepararon, por supuesto, con gran celo religioso, para recibir el sacramento, explicándome sobre todo su significación. Pero tanto me repitieron que aquello era como renacer a una vida nueva, que esta idea me inquietó. Y me fui poco a poco encendiendo, alucinando en mi obsesión, hasta imaginar desatinos. "Nacer de nuevo, Dios mío. ¿Cómo será eso?", me preguntaba... No, no es para reírse, Mario. Verá. Una chiquilla muy sensible, reviste fácilmente de caracteres sobrenaturales un sacramento. Yo esperaba, segura, un prodigio, un milagro, una transfiguración... ¡qué sé yo!... algo de lo cual renacería otra. Y llegó aquel domingo. Me parece que lo veo todo. Y entré en la galería, trémula, sin fuerzas, como un espíritu, mística, mística, con ese misticismo cándido, imaginativo, de las criaturas. Y ahí tiene usted: el señor obispo que me da la palmada, y yo que exhalo un grito y caigo exánime, sin sentido, como una muertecita. Un mes estuve enferma. Por la sensibilidad. ¿Ve usted? Otro caso: En el colegio de las monjas, cuando usted me conoció, tenía yo una compañera. Estábamos juntas en el banco, en clase, vecinas de cama en el dormitorio; todo nos acercaba. Pero ella era una chiquilla dura, déspota, malévola, descariñada. Me hacía sufrir mucho. Porque yo, la tonta sensible, la adoraba. Jamás tenía ella conmigo una actitud dulce, un gesto cariñoso, un rasgo sentimental, nada. Un día, la madre Genoveva me regaló una medallita que a ella le gustó mucho. La vi envidiándomela, probársela, y todo fue para mí reconocer eso y ocurrírseme la idea: "Tómala, para ti", le dije. Entonces ella por primera vez en su vida, me abrazó, y me besó en los labios, efusiva. Salió en seguida al corredor, feliz, a lucir mi obsequio. Pero yo no podía moverme. Con los ojos llenos de lágrimas, en una alegría loca, oscilaba sobre mis pies, iba a desplomarme, y me dejé caer de bruces en el banco, llorando a mares. "¿Qué le pasa, niña?", me decían. Nada. Entre sollozos, yo sólo podía exclamar, con una dicha inmensa, como en un espasmo del pecho, que me hacía gemir: "¡Me ha besado! ¡Me quiere, me quiere! ¡Me ha besado!" Ésa soy yo, Mario. ¿Ve? Esas somos las sensibles.

Cuando el alma descubre, Señor, estas fuerzas de amor en una criatura, se esponja y tiembla, se abre como una copa, recibe el suave corazón y con él quiere vivir ya siempre.

Mas yo me vuelto a Ti, Señor, y te lo ofrezco.

¡Bendícela, Señor, y aparta todo mal de su camino!

Pero ahora caigo en la cuenta de que, con estas emociones, transcurrirá la semana y yo no habré hablado a Fray Rufino. Y sin duda necesita auxilio.

Es bien extraño lo que sucede.

Hace un rato, a mi regreso de la clase me salió al paso el hermano portero para decirme, entre aspavientos de aflicción y aspavientos de alarma:

—Padre Lázaro, Fray Rufino está perdiendo la cabeza, creo yo. ¿Sabe usted lo que acaba de hacer? Parece que andaba en la iglesia, por la nave de este lado, cuando terminó el rosario y lo han visto las mujeres y se le han acercado a rodearlo, y a pedirle bendiciones, y a besarle los hábitos, como siempre. Pues, señor, él se ha soltado entonces a correr, huyendo de ellas y llorando, hecho un loco, un verdadero loco. Hasta que ha llegado ahí, al mamparón de la puerta, y ahí se ha puesto de rodillas, con los brazos en cruz, atajando a esa gente; y en medio de su llanto, les ha pedido a grandes voces que lo dejen, que se vayan, que no le induzcan más al pecado con semejante conducta. "¡Porque, jamás, jamás —les gritaba— ha obrado por mi intermedio milagros el Cielo!" ¿Se explica usted esto, Fray Lázaro? Hasta falta a la verdad negando los milagros. Para mí, ya le digo, no le anda bien el juicio.

También recuerdo yo ahora que al hablar con el caballero de esta tarde parecía lleno de contrariedad y de tristeza.

Resulta bien extraño todo esto.

Ahora me veré con él. Es decir, será esta noche. Ahora no conseguiría moverme. Estoy arriba, en un escaño de los corredores; he escrito media hora, sobre mis rodillas; y aquella emoción y la paz de la tarde me dominan.

Cedo al encanto que desciende del cielo y al encanto que sube de la tierra.

Abajo, en el patio, Fray Bernardo y dos monjes más, tan viejecitos como él, han salido en busca del calor y se han parado al centro del cuadrilátero de sol que resta en una esquina. Ese rincón es un escudo cuyo centro los tres frailes reunidos decoran con una flor de lis. Y me finjo que el Heraldo de Madama Pobreza mira muy tierno, desde lo alto, su blasón de siete siglos.

Loco no, naturalmente. Es un visionario y, como tal, sobre todo cuando sufre, se alucina. Pero no está loco. La historia de los místicos ofrece mil casos como el suyo.

Sin embargo, se concibe el temor de que su juicio pueda perturbarse... ¿Por qué, Señor, pueblas de terrores el misterio de la santidad y tanto se asemeja a la locura la tribulación que esos terrores causan?

Aguardé a que todos los frailes se hubiesen recogido a las celdas para salir yo en su busca. Lo descubrí en el ancho pasaje abovedado que une el claustro con el patiecillo de los legos.

Estaba solo e inmóvil, en un claro de luna, puesto el capuz, la cara al cielo y con los párpados caídos, las manos en cruz y sobre el pecho. La luz de la luna torcía contra el muro la sombra de la arcada, descubría en la negrura de un cuadro dos piernas con llagas, un cráneo mondo y una paloma entre rayos, y a él lo revestía el cielo. Todo era estático y silente como en una visión.

Pisé recio entonces. Al ruido de mis sandalias abrió los ojos bruscamente, exhaló un ¡ah! de angustia y cayó de rodillas.

—Soy yo, Fray Rufino.

—Ah, Fray Lázaro. Creí que fuera él.

—¿Quién?

—El capuchino.

La discreción me advirtió que no debía preguntarle todavía quién era "el capuchino". Y me limité a levantarle de los ladrillos con solicitud y suavidad.

—Pues no, hermano —le dije, cuidando que hubiera bastante cariño en mi voz—. Soy yo, que vengo en su busca porque sé que padece, porque... A ningún hermano debe faltarle nuestra misericordia en su aflicción. ¿Qué tiene, Fray Rufino?...

La sorpresa, sin duda, no le permitía hablar aún. Dio un paso hacia mí y me abrazó en silencio. Ha permanecido unos instantes con el rostro apoyado sobre mi hombro, y he creído tener entre mis brazos uno de esos pájaros enflaquecidos que solemos recoger en el invierno y cuyo pecho se abulta y se deshincha a cada latido formidable de su corazón agobiado y enfermo.

Percibí también bajo sus hábitos la dureza de una cadena.

—¿Qué tiene, hermano? ¿Otra vez el "hermano asno"?

—No, Fray Lázaro.

—¿Qué cosa entonces? Insisto por obediencia a nuestra Regla, que me ordena insistir.

—Que soy una insensato. Cuanto hago me conduce al mal. Por multiplicar las buenas acciones he perdido la humildad, la más preciosa de las imitaciones de Jesús Dios Nuestro Señor. He provocado que me llamen santo, hermano, y como a tal me tratan. ¡Yo, un vil fraile como yo! Y esto, si bien no estuvo en mi intención... ¡Él me lo toma en cuenta!... si bien no estuvo en mi intención, lo está en mi torpeza. No esa veneración de que me hago rodear, sino el desprecio y la mofa deben ser las retribuciones para un mal pobre de Jesucristo que así se aparta de los Evangelios.

Había dejado ya mis brazos y lloraba como un niño contrito.

—Pero... vamos a ver, hermano... Cálmese. No veo yo tal pérdida.

—Sí, Fray Lázaro, sí. Bien se me ha significado por aviso del Señor. Hago que me llamen santo, y abro así paso a la inmodestia y a la soberbia. Todo iba bien mientras merecí sólo el elogio que Nuestro Padre nos preconizó en su Regla: pobre de espíritu. Después, hermano, todos se han perturbado por mi escasa luz. Ya los fieles pretenden venerarme. Ya mis hermanos de la Orden ni me juzgan ni humillan mis errores. También me suponen santo y a poco más se inclinarían a mi paso, cuando... hollar mi pecho debían bajo sus sandalias. Ya no soy el simple para ellos.

—No hicieron sino enmendar su débil caridad. Usted los ha edificado.

—Los induje a engaño. Pequé.

—Supongamos que pecó. "Si algún fraile se hallare en pecado, ha dicho Nuestro Padre, que ninguno se le burle ni le injurie, sino tenga para él misericordia."

—Yo he reincidido y he agregado culpas peores.

—"Y si después compareciere mil veces ante tus ojos con pecados nuevos, ámale más que a mí."

—Usted es un sabio, Padre, y yo no soy digno de usted. No le desmiento. Pero el capuchino, para demostrar mi culpa, me abrió al azar la Regla, como hacía Nuestro Seráfico Padre con los Evangelios cuando su intención vacilaba, y me ha leído estas palabras: "Lo mejor que pueda voy a decirte mi opinión, y es que debes considerar como un don que tanto los frailes como los seglares te sean adversos. Has de desear que así y no de otra manera sea. Sé de cierto que en ellos estriba la verdadera obediencia y la humildad".

—Todo está bien. Pero... veamos, conversemos. ¿Quién es ese capuchino?

—No pertenece ya a este mundo. Es un alma que pena por este mismo error mío y a la cual me envía la Divina Clemencia para llamarme a salvación.

—¿Ha tenido visiones, hermano? El ayuno enflaquece la mente, muchas veces, y una alucionación engaña y...

—Dos noches ha venido, antes del alba. Por ahí. Sale de junto a la escalera, como usted hace un momento, y avanza y me habla.

—¿Y se ha prevenido usted, hermano?

—Sí, en vida fue primero menor capuchino y después eremita. Su solo aspecto impone. Del capuz le sale una barba crespa y negra que le cuelga sobre el hábito; los nudos de su cordón echan lumbre y él dice que llevan el fuego del Purgatorio, y bajo el sayal sus pies tienen ese vello áspero y venerable de los anacoretas.

—Hermano, yo no sé qué decirle. No obstante, en nombre de la santa Obediencia le pido que, al menos por hoy, se abstenga de las mortificaciones y recurra mañana a su Guardián. Repose, duerma. No vaya hoy a salir con esa cruz a media noche... ¿Y para qué esa cruz?...

—Para crucificar mi alma pecadora.

—Pero el cuerpo...

Busqué argumentos, ensayé la persuasión. Ignoro si logré reconfortarle. Siquiera conseguí recluirlo en su porciúncula, y que me prometiese solicitar mañana consejo a nuestro Guardián.

Yo hablaré también con Fray Luis.

¡Ah, Señor!, la historia de los místicos ofrecerá mil casos como el de este santo fraile; no estará trastornado su juicio hasta la locura; pero... ¿por qué pueblas de terrores el misterio de la santidad y tanto se asemeja a la locura la tribulación que estos terrores causan?

Allá va, a prisa, en su trajín de todas las mañanas. Lleva la escudilla de comida para el perro. El Guardián sale a su encuentro, parece... Sí. ¡Lástima! Yo quería prevenirle antes. No lo hice; me distrajo esa novedad en la venida de María Mercedes, y es tarde ahora. Hablan ya bajo el pórtico.

Pobre hermano Rufino. Cada día es más escuálida su silueta. Y ahora, esa turbulencia interna que le ha prendido en los ojos el fulgor del extravío, le agita entero mientras se explica con su Guardián.

Fray Luis escucha sereno. Nada le sorprende. Posee una comprensión admirable —que yo no alcanzo, Señor— para estos casos de misticismo y de aparecidos. Con una dulzura que sus manos blancas acentúan añadiendo el color al movimiento, consuela a su fraile y le dirige.

¿Qué le dirá? Conozco la levedad de su gobierno. A pesar de ello me gustaría oír.

Voy a rondar cerca.

No estoy conforme del todo. Debió Fray Luis constreñirle más a la continencia en las mortificaciones, tal vez. Pero... él sabe más que yo. Duele, según él, inmiscuirse con autoridad en prácticas que al alma de cada cual incumben, por cuanto con la propia salvación se relacionan. Ha de ser así.

—Además —me ha explicado Fray Luis después—, un Guardián tiene que dejar libres a sus frailes en su misticismo.

De acuerdo.

—Y a mí, Fray Lázaro —me agregó—, me duelen más aún las intromisiones autoritarias frente a hermanos que me son superiores en simplicidad y elevación, y a los cuales ya he mortificado antes sin justicia.

—No obstante, Fray Luis —me atreví a observarle entonces—, Nuestro Seráfico Padre, en varias ocasiones se vio en el caso de usar de autoridad con alguno de sus frailes por lo mucho que abusaban del castigo corporal.

—Exacto. Y en eso me apoyé. "Usted recuerda, Fray Rufino, le dije, que en el Capítulo de las Esteras, Nuestro Padre Asís hubo de confiscar a cientos los cilicios, las cadenas, los rallos, las mallas filudas. Yo no le pido a usted, hermano, entregarme sus instrumentos de martirio, pero sí que se contenga. Justamente, mientras hay desorden interior para juzgar nuestra propia conducta es cuando no conviene debilitar con exceso nuestro cuerpo. Para poder hacer silencio en nuestro espíritu, a fin de sentir si habla en él la Voz de Dios, todo nuestro ser ha menester de paz".

—¿Y le trazó usted alguna norma?

—Sí, sí; ya lo creo. Sólo que, dado su misticismo, no me ha parecido justo, por ejemplo, eso de que a la hora de queda se recluya a su celda como los demás. Le fijé la media noche como término para sus andadas. "A las doce en punto se pondrá usted a dormir", le he prescrito. "Si no le viene el sueño, haga por que le venga; y si no lo consigue, rece; pero no se mortifique ni se mueva ya." A más no me atreví. Se trata de un alma predilecta de Nuestro Señor, todos creemos que de un santo. ¿Cómo no ser respetuoso con él y confiar en que habrá de velar por su alivio la Suprema Misericordia?

Tiene razón. Tampoco sabría yo qué más hacer.

Sin embargo, no quedé conforme del todo.

Antes de volver aquí, un impulso de interés me condujo aún a la entrada del solar, para divisarlo en su visita al perro.

Eran siempre los dos hermanos que se entienden. Pero *Mariscal*, varias veces, al brincarle cariñoso al cuerpo, le derribó...

Pobre hermano Rufino.

Bien. Vamos al suceso nuevo, a lo que deseaba yo anotar cuando me senté.

Gracia vino a la misa con ella. ¡Gracia! Y no es un hecho casual, estoy seguro. María Mercedes se portó demasiado circunspecta, sin duda por advertírmelo. Yo saludé apenas, con una ligera venia, entre correcto y distraído. María Mercedes ha sonreído entonces, imperceptiblemente, y yo he comprendido que me aprobaba, que ésa era la justa actitud que ella me pedía que adoptase. ¿Qué ocurre? Sabe Dios. Pero esta venida de Gracia no es casual, no. En diversos detalles se notaba.

Lo digo porque dos veces crucé por la nave próxima, simulando buscar algo en los confesionarios, y a la segunda comprendí que a ella le inquietaban esos viajes. Dobló su circunspección y el azoramiento fluía de ella como una atmósfera que me lo hacía sensible.

Algo pasa. Algo teme ella.

Sobre esto, me ha parecido vislumbrar en ella una intranquilidad más... Como si la presencia de Gracia le despertase también viejos resquemores...

Mal hecho. Ya le previne que todo aquello está en mi pasado como un cadáver entre cadáveres.

En fin, se convencerá luego, cuando nos veamos.

Pero... ¿qué sucede?

Y pensar que ya empezaba yo a desatentarme, a no hallar ánimo ni para ordenar mis emociones registrándolas en estos papeles...

¡Para esto, Gracia, acompañas diariamente a María Mercedes a la iglesia!

Me apenas. He sufrido mucho todos estos días; pero no sé ahora qué resulta peor, si el haber comprendido o el que hubiese caído en el juego...

Es triste, triste y lamentable lo que haces. Da pena, una pena mezclada con vergüenza, con un rubor que a mi pesar me enciende la cara cuando evoco los detalles. Hoy usaste de coqueterías conmigo. Y yo conozco tu temperamento: no es para esas cosas. Me mirabas, iniciaste aun sonrisas al mirarme; más: hubo un momento en el cual, cuando se han encontrado nuestros ojos, tú has bajado los tuyos con turbación... Pero no logras fingir lo bastante, y yo siento que lo haces en frío, con cerebro, con un cerebro que trae cálculos hechos. Como nunca fuiste coqueta, no puede haber concierto entre tu intención y tu poder. Mientras la una impele, el otro desvirtúa, y sólo la sospecha hiere.

Además, Gracia, no hay razón. Yo no soy peligroso. Aunque María Mercedes estuviese enamorada.

Por último, el sentimiento que yo puedo tener está en manos de Dios, y sólo Él dispone ya de mí.

Da pena esto, Gracia, mucha pena.

También da pena Fray Rufino. Una pena más pura, pena por inocencia, que enternece.

Estas noches, sin sosiego para escribir, he seguido sus pasos. Los donados habían vuelto a descubrir sangre en los ladrillos, y esto me movió a espiarlo. Temí que no hubiese obedecido a su Guardián.

Y no. Sí le obedece.

Sale siempre de noche al claustro de San Diego, a rezar su Vía Crucis, con la enorme cruz a cuestas. Pero al toque de medianoche, con la última campanada de la torre, donde se encuentra se detiene.

Le ha ocurrido que la hora fijada le coja en el claustro. Entonces, obediente, se ha recostado contra un pilar y, en la postura en que se hallaba, de pie o de rodillas, "sin moverse ya", como le ordenaron, se ha puesto a "dormir", o "ha hacer por que le venga el sueño", o "a rezar", hasta el día.

Hace dos días que no vienen. ¿Qué pasará? Hoy, como ayer, transcurren las misas una tras otra; ya entramos a la de diez, cantada, gran misa solemne por... en fin, no recuerdo al pronto por qué... y a ellas no se les divisa. Me asomo de rato en rato, escudriño las naves y... nada.

No cabe duda, tampoco vendrán hoy. ¿Qué será?

Y está hermosísima la iglesia, Señor. Les hubiera gustado. Hinchada de música y de incienso, trémula de lirios y de gente. El altar mayor, su retablo hasta arriba, y ante él todo el estrado, fulguran de luces, raso blanco y orfebrería de oro. Los oficiantes parecen joyas enormes que rutilan: se hunden sus cabezas entre los indumentos rígidos e incandescentes, que baja en pliegues acampanados; giran sus siluetas cónicas, y a cada giro fosforecen mil carbunclos sobre el tisú.

Lástima. Les habría gustado.

Volví a la iglesia una vez más. No llegan. Ya no llegarán.

Está predicando Fray Elías. El sermón cae desde el púlpito a grandes golpes de voz. Me impresionó grotescamente. A los gritos tiemblan las llamas de las lámparas humildes que vigilan en los altares pequeños. Yo quise rezar, recogido en un extremo solitario; pero eso me turbaba. Además, hoy me falta unción. Y en ese altar apagado, algo me oprimía... Las llamas negruzcas de la imagen, quizá, o los terciopelos viejos, tan silenciosos y tan crueles...

Tuve que salir.

Vagué por el patio. Las techumbres recortan hoy un cuadrado de cielo desteñido y frío. El canto poderoso del órgano sale de la iglesia, llena los claustros y muere gimiendo en los rincones tristes. En los conventos, los sonidos más potentes desfallecen por fuerza en ecos moribundos. Tal sólo arriba, en los aires, la algazara de las campanas suele volar como algo vivo...

No. Es que... no sé qué tengo yo hoy, Señor. Sí. Sí. Señor; sí lo sé. *Nemo in sese tentat descendere*, dirían los latinos; pero no es verdad siempre. Yo sí, yo intento descender hasta mí mismo.

Y me confieso a Vos, Señor. Veo la llaga de vuestro costado abierta, como una boca con sed. Yo también tengo uno herida sedienta en el costado.

A la misa del domingo no podía faltar. De suerte que hoy vino. Siempre con Gracia, eso sí. Pero no importa. Es como si hubiésemos conversado. Una frase indirecta, pero bien definida, suele valer por largas explicaciones.

Yo estaba en el pequeño bazar de baratijas pías que hay junto al Convento, cuando la gente salió de misa. De pronto, muchas voces de mujer, todas a un tiempo, en algarabía. Y eran ellas. Con varias amigas, invadían el bazar.

Saludé correcto, más serio que nunca tal vez.

Una de las amigas buscaba un rosario. El grupo, en la estrechez de la tienda, me cerraba el paso. No habría yo conseguido huir, aun queriéndolo. Me puse, pues, a examinar unas estampas.

En tanto, las observaba.

Gracia tornó a sus coqueterías. ¡Pobre Gracia! Buen rato disimulé. Pero una mirada me dañó tanto, exasperó en tal forma mi dolor y mi vergüenza, que algún gesto muy elocuente debí hacer, porque sentí despertar en ella la noción del ridículo. Se abochornó. Ya no volvió a mirarme. Al hablar se le deformaban las comisuras en una mueca temblante, de pesar colérico.

Tuve una gran piedad, y, contraído a mis láminas, fingí no haber advertido nada.

Pero en esto María Mercedes, que había maniobrado, no hay duda, se halló de pronto muy cerca de mí. Y prosiguiendo su diálogo con una de las compañeras, dijo:

—¡Pse! Yo, en tu lugar, estaría tranquila. Porque una amistad fiel, para un alma fiel, no acaba por tonterías, sobre todo por tonterías ajenas, de gente que a una no lo entiende.

Nada más. Pero mientras la otra hilvanó quejas y quejas, ella, recalcando las palabras, imprimiéndoles una clara dirección que yo sabía distinguir, insistía como en un estribillo: "Una amistad fiel, para un alma fiel, tiene siempre toda una vida por delante..."

Hasta que se fueron.

No hubo sino eso.

Al salir, ni me saludó. Aun: demostró más prisa que nadie por marcharse.

Sin embargo, Gracia se ha ido suspicaz como nunca.

Apostaría que oyó la frase.

"Una amistad fiel, para un alma fiel, tiene siempre toda una vida por delante..."

Y es una amistad. No puede ser sino una amistad fiel, entre dos almas fieles... ¡Yo te lo juro, Señor!

Deseo hablar nuevamente a Fray Rufino. Lo veo sufrir demasiado y me preocupa.

Además, esta tarde clara de domingo el invierno parece detenido. Sólo es en el aire una transparencia azul y un blando bienestar en el silencio. Y conforme el Convento se ha ido aquietando, ha empezado a bajar sobre mi corazón la piedad de Dios y a encender mi ternura por el hermano conturbado.

Aquí me estoy, pues, a la espera suya. Por los hospitales anda, en su visita a los enfermos. Yo le aguardo. No tengo clases ni quehacer alguno. Llegará, lo divisaré a su entrada por el claustro, y le saldré al paso y hablaremos.

Cuesta mucho cogerlo a solas ahora. Ese afán de humillación, que raya hoy día en desenfreno, le multiplica los trabajos. Legos, frailes y sirvientes le veneran; pero se han ido habituando poco a poco a utilizarlo como siervo, y pesan ya sobre él los más duros menesteres. Cargar los galones de aceite y las menestras hacia la bodega, barrer patios e iglesia, distribuir la limosna a los mendigos y darles de comer, partir leña para los cocineros y aun llevarles una parte a los frailes viejecitos, a quienes prende además, en los patiecillos de sus celdas, hogares con qué desentumirse y secar sus hábitos humedecidos por lluvias y neblinas; cuanta labor algo ruda recae sobre la vida monacal rinde a toda hora hoy sus miembros. Y en ellos, bien se supone, a cada esfuerzo se encarnan más las ligaduras que los estrangulan.

Buen hermano, ¿hasta cuándo? Sudas por debilidad, no obstante el frío; te amoratan las heladas y los aguaceros te mojan; te oculta y te asfixia la polvareda de las escobas, ¿y seguiremos todos mirando sin alarma el continuo trajín de tu cuerpo escuálido, sufriente y como enloquecido dentro de un sayal que apelmazan el barro y la sangre? No es posible, hermano.

Ni entiendo yo este desenfreno, Señor.

Agostado suelo verlo, y soportar la sed. A lo lejos, muy a lo lejos, lo descubro bebiendo; pero elige el agua del pozo, porque es turbia y es menor regalo. Y muchas veces enjuaga sólo su garganta y su paladar, donde el cansancio puso liga y sabor de ceniza.

También cuentan los donados cuyas celdas quedan vecinas a su porciúncula, que pasa las noches agitado sobre su tarima. Le imaginan revolviendo los ojos en la oscuridad. Y a menudo escuchan sus lamentos: "Padre, ¿por qué me has abandonado? Padre, ¿por qué me has abandonado?" Porque la queja evangélica no se aparta de sus labios desde que las apariciones de ese "capuchino" le obsesionan.

Si yo estuviera componiendo aquí una novela suya, cuántos estados de conciencia enferma debería escribir. Un alma simple y buena que se embrolla, se espanta y clama. "¡Oh, si el Señor descargara sobre mí un rayo de castigo que a la vez envolviese la palabra de salvación eterna!" exclamaba la otra noche.

¿Por qué, Dios mío, le privaste de aquella cándida llama que antes iluminaba sus días ecuánimes y seráficamente alegres?

Ahora, en esta turbulencia y esta duda, también yo temo por su juicio.

Ahí llega. Corro a su encuentro.

Y bien, hemos hablado. Pero mi emoción de horas antes se ha vuelto asombro y suspicacia.

Sí, suspicacia también, pues me resulta cada vez más extraño todo eso del aparecido.

O ese pobre hermano desvaría, Señor, o mi comprensión no penetra ni vislumbrará jamás tales misterios.

Y no sólo el singular personaje, sino el propio Fray Rufino me desconcierta ahora. Ha cambiado mucho. Él que siempre fue tan espontáneo y comunicativo, tan diáfano en su simplicidad de niño, parece hoy lleno de reservas. Al principio, cuando le interrogué, se me quedó mirando, como ausente, como si no comprendiese. Y he debido insistir, valerme de la astucia, sonsacarle, para que hablara.

Estoy perplejo.

He aquí algunos razonamientos y advertencias del "capuchino". Porque no podría relatar toda nuestra conversación, mis rodeos, sus silencios.

—Cuidado, Rufino —le dijo la primera vez—. Cuidado. Te figuras ser humilde y paras en soberbia y vanidad. Te llaman santo y lo aceptas; te honran, te veneran y no sólo escuchas impasible, sino te halagas. ¿Eso es humildad? Cuidado. Luego vienen a ti, engañadas, las almas a pedirte dirección, y tú asumes el papel y las diriges y gobiernas. ¿Qué significa esto? ¿Gobiernan los humildes? Quien gobierna, domina, y el dominio es el orgullo. El Pobrecillo de Asís a nadie se mostró sino como pecador abominable. En tanto, alardeas tú de santidad y aun te encargas de milagros... No me repliques. Sé lo que vas a responder. Pero te ciegas. Recuerda bien, examina en tu memoria y tu conciencia.

Y a la noche siguiente, sin dejar a Fray Rufino adelantar una palabra, le adivinó así el resultado de sus averiguaciones y descubrimientos:

—...Ya sé que te has examinado. Pero yo quiero decirte lo que has visto en el recuerdo. Que perseguías el milagro y, cuando creías haberlo realizado, tu espíritu anhelaba, secretamente, sin que tú lo advirtieses, como en una imaginación sin importancia, la notoriedad del hecho. ¿Verdad? Cuando aquella vieja recuperó la vista y leyó por sí misma la novena el último día, lamentaste inconfesadamente la falta de un testigo. ¡Oh, flaqueza de un santo!, y te causó alegría que después ella lo contara. ¿Ves? ¿Ves cómo tengo razón? Pues voy a hacerte otro recuerdo. Has soñado también, has soñado. Imaginabas una noche que tus dedos recorrían las piernas de un baldado y el mal en el acto desaparecía; y en tu ensueño ambicioso, el Señor Nuncio hallábase presente y prometía ir luego a Roma para iniciar el proceso de tu canonización. ¡Ah!, esto lo habías olvidado. Pues yo te lo recuerdo. El ensueño, Rufino, es traidor, y callando, callando, se cuela.

—¡Y todo esto era verdad, hermano; todo esto era verdad! —me ha confesado llorando el frailecillo—. No me daba yo cuenta ¡y ocurría así!

En la otra aparición le ha exigido reflexionar sobre este punto:

—Si Aquel, a sus elegidos para redimir, les ordena que amen al prójimo más que a ellos mismos, y se le humillen, y por superior le tomen, ¿cómo podrías tú cumplirlo sin tenerte en menosprecio y antes bien arrogándote su dirección? ¡Ah!, es que te diste por elegido y te lanzaste a ejemplarizar. Por una culpa semejante se perdió Luzbel, por creerse dueño de una perfección que no le dieron. Reflexiona. No ignoro que hay en ti amor a tus hermanos de la tierra, que tu error no estuvo en tu intención, sino sólo en tu torpeza, como tú dices siempre. Pero reflexiona, pues debes repararlo.

Y cuando el frailecillo había recapacitado y, convencido, seguro de su falta, preparábase a pedirle consejo, él se le apareció de nuevo y, siempre anticipándose, le indicó:

—Humillación, humillación y humillación. Te humillarás ante ellos con actos visibles, castigarás tu orgullo, negarás la santidad que les mintió su insuficiencia. Un ejemplo has de dar, por el cual sufras cruelísima tortura y gran menosprecio de tus engañados y aun de todos tus hermanos de la Orden. ¿Conservas en la memoria la parábola de la perfecta alegría? Enseña en ella Francisco: "Y cuando encolerizados nos rechacen como a bribones, con injurias y golpes, y nos hayan apaleado y revolcado en la nieve, y nosotros lo hayamos sufrido con júbilo y buen amor, entonces dí que aquí, en esto, reside la perfecta alegría".

Yo me figuraba lejos de este siglo, o escuchando una lectura de refectorio. Es indudable, no me desprendo por completo aún del criterio mundano. Fray Bernardo, a quien lo referí poco después, me decía santiguándose:

—Como cosa del maligno, Fray Lázaro. ¿No será cosa del Maligno? Ese capuchino cruel, esa barba crespa y negra, esos pies velludos y ese cordón cuyos nudos echan lumbre... El Señor nos libre, hermano.

Cosa del Maligno, aviso del cielo, desvarío; lo que sea, no lo entiendo.

Incrédulo ya en su buen juicio, he querido aprovechar la ocasión para conducirlo a la prudencia, y al cerciorarme de su inclinación hacia el consejo del singular capuchino, le indiqué a mi vez que si una humillación ostensible, un ejemplo o acaso un pecado buscaba, incurriese en la gula y la pereza. Con ello, pensé, recibirá "cruelísima tortura" y puede ser que más salud y más luz para su mente en riesgo.

Mis ideas no le convencieron. Se marchó sin oírme. "¡Oh! —exclamó—, si consiguiese verme apedreado por los que en mí fiaron, pisado en la lengua por la comunidad, castigado por mi Guardián. Pero no concibo siquiera un acto para que así me traten. Dios no me ilumina; me deja de su mano y me abandona a la angustia." Y se marchó, sin guardar al menos la cortesía de otro tiempo. Estoy perplejo. ¿Seguirá en sus trabajos frenéticos, en sus martirios y en sus diálogos con ese capuchino? ¿Y a qué puede conducirle todo esto?

El paso no podía sorprenderme.

Apenas crucé la portería, al regreso de la Recoleta, y el hermano salió a prevenirme que una señora me aguardaba en el locutorio, tuve la corazonada: Gracia, me dije. Miré a través de los vidrios y, en efecto, era ella.

¿Cómo no figurárselo, por lo demás, si ayer se marchó del bazar tan corrida y suspicaz y violenta? Ha debido cavilar después, encapricharse, y en consulta con la señora Justina, resolver al fin: voy. Llevo un pretexto cualquiera y voy. Conversaremos, y buceando bajo las palabras, bajo las actitudes, bajo los silencios, me cerciorare de lo que exista.

Sólo que yo la hice ver lo que me convenía. Y si alguien obtuvo alguna certeza, he sido yo por cierto.

Me revestí de beatitud. Digno, aunque natural y afable, saludé con una venia, le ofrecí asiento.

—No, gracias —me dijo—. No vale la pena. Yo buscaba al Padre Provincial.

—Entonces...

—Pero me cuenta el hermano portero que el Padre Provincial está hoy en La Granja.

—¡Ah!, sí. Exacto. Y no vuelve hasta la noche.

—¿Y qué hora le parece a usted la mejor para encontrarlo aquí mañana?

—Esta misma. Él recibe siempre de tres y media a seis. Yo le avisaré, si usted gusta, para que mañana la espere.

—Muy bien. Porque el Padre Provincial es muy amigo de mi marido, y queremos hablar con él por... por una cuestión de familia. Hay asuntos a veces peligrosos, y... usted sabe... determinadas personas resultan las indicadas.

Entendí. Una advertencia, a fin de atemorizarme con una intervención de mi superior.

Le contesté como quien se halla lejos de toda culpa y toda sospecha:

—Pues yo me encargo de anunciarle su visita, señora. Pierda cuidado.

Con esto, en realidad, el objeto de su permanencia allí había desaparecido. Pero no se fue. Me preguntó por el cuadro del zaguán. Se lo expliqué, le referí todo el milagro de las rosas en la vida de Nuestro Padre. Aprovechó ella entonces para comentarlo e hilvanar su charla.

Y comenzaron los esfuerzos. Yo no le daba réplica. Ella debía proceder, pues, bravamente. Era difícil: cualquier error de perspectiva desnudaría la intención. Y de otra parte, allí, entre los dos a solas, nuestro pasado, resurrecto y estorbando, pues todo lo cubría mal.

Sin embargo, hábil y paciente, supo atisbar el momento y colocar entonces la conversación donde se había propuesto.

Yo mismo, yo, el astuto, le brindé la oportunidad. Mientras iba su comentario de un cuadro a otro, caí en reflexiones sobre la impasibilidad de mi corazón. La tenía delante, había reconocido sus facciones una a una, su mirada, su voz, sus palabras predilectas, aun aquella cicatriz de su muñeca, leve y blanco guioncito al cual tantos recuerdos me ligaban, y no obstante permanecía inmutable. ¿Por qué? ¿Por mi nuevo sentimiento? ¿Por esa impresión de cosa profana que causa el ser a quien se amó con amor grande y otro poseyó después, malogrando el ideal y recubriéndolo del odio y la repulsión que al otro le tuvimos?

Antes que averiguase yo bien este porqué, ella, advertida sin duda de mi examen, se volvió a mí de pronto a preguntarme:

—¡Qué! ¿Me está observando? Muy cambiada me encuentra, ¿ah?

Hice una mueca vaga.

—Sí, se cambia —suspiró, aguda—. Y se envejece.

Luego, a su vez, examinó "mi aspecto". Y trastornado murmuré:

—Yo sí, yo estoy envejecido.

—Pero la vejez le... ¿cómo diré?... le dulcifica.

¡Vanidad, Señor! Y dolor, un dolor indebido. Lo confieso. Pero sonreí con amargura, que pretendí revestir de ironía, y dije:

—¡La vejez! ¡Hem!

—No. No se ofenda. Viejo, lo que se llama viejo, claro que no. Y luego, todo es según. Con respecto a mí, no puede ser viejo. Ahora, con respecto a otros... con respecto, por ejemplo, a mi hermanita, sí se podría decir viejo...

Pisaba en el terreno al fin. ¡Ah!, y a sabiendas de lo que había hecho, Señor. O Tú se lo dictaste para castigarme.

—Con respecto a todos —le corregí—, un fraile es más que un viejo; es un ser sin edad.

Hubo un silencio. Yo me había calado ya la máscara de la beatitud nuevamente.

En cambio, sentí, no sé cómo, algo repentino en ella, una extrañeza... más: una preocupación, y una herida en su amor propio de mujer. Nuestro pasado, allí, imposible de ocultar, era de fijo la causa. Percibí su emoción desapacible, medio capricho, medio encono.

Y fui yo, de nuevo yo, el dueño de la situación.

Quise afrontarlo entonces todo, conducir la entrevista con valentía y dominio.

—¿Y en su casa —le pregunté—, la señora Justina, María Mercedes, cómo están?

—Bien. A María Mercedes la ve usted a menudo.

—Sí, en efecto. Viene mucho a la iglesia.

—Y han conversado.

—Varias veces, sí. Me costó mucho reconocerla. Es toda una señorita ya. Y yo dejé de verla muy niña. Once o doce años tendría...

—Ella me contó entonces el encuentro, y mil cosas más. ¿Y por qué no ha cantado misa, Mario?

—Perdón. Mario, no; Fray Lázaro.

—De veras. Padre Lázaro. El perdón se lo pido yo a usted.

—A María Mercedes le hice la misma advertencia.

—Lo sé. ¿Y por qué no se ha ordenado? En casa decimos: Para poder colgar los hábitos el día que se canse, o se convenza de.. ¡en fin!

—No. Eso no. Se entra en este sayal en definitiva o no se entra.

Noté que la solemnidad de mi afirmación me daba el triunfo: empezó a juzgarme inofensivo. Sentí además que su amor propio había recibido una compensación; no importaba que ya nada experimentase yo frente a ella; el descalabro sufrido por su amor había decidido mi suerte por el resto de la vida, y era bastante.

—Cierto —me dijo, suavizada—. Usted lo juró.

Y hubo otro silencio.

Aquí mentí, Señor, callando. No he jurado eso jamás. Callé porque... ¡porque un alma romántica no se resigna de buenas a primeras a exhibir el fracaso de un gran rasgo!...

He de enmendar, Señor, esta flaqueza, indigna de quien a Ti se ha consagrado.

Luego, el resto carece de valor. Fueron palabras, palabras...

Y se despidió, al parecer, tranquila.

Dijo algo más sobre María Mercedes: que era un tanto cándida, como chiquilla romántica, y que se inquietaban a veces por ella. "Un hombre sin conciencia —agregó— puede perjudicarla mucho. Y ella merece casarse bien, hallar un marido con todas las condiciones: juventud, bondad, inteligencia, holgura..."

¡Es verdad, Señor!

Pero ¿en qué la perjudicaría mi pura amistad?

Porque no pasará esto de una amistad. Señor, de una amistad fiel... que me consuela por tener toda una vida por delante.

Nada más, Señor.

Sueños... Sueños otra vez...

He paseado largo rato por los corredores altos. Dormía el monasterio y arriba el espacio tremolaba como el interior de una campana en reposo. Una campana inmensa, de azul y de noche. La iglesia estampaba su lomo negro sobre el cielo estrellado. Me fui quedando poco a poco inmóvil, suspenso. Y los sueños han venido, calladamente, por los senderos invisibles de la noche callada.

Ya se sabe cómo vienen los sueños.

Y cómo se van.

Sí, luego se borran, pronto ya no existen. Igual que cuando soñamos durmiendo. Sólo que, al irse, nos dejan siempre su emoción. Se ha desvaído toda imagen, pero la emoción permanece.

¿Y algo hay que sea más que la emoción?

La emoción es la esencia virtual de las cosas. La emoción es el alma. Tú, Señor, en tu reino, el Gran Día, acaso no recibas de nosotros más que nuestra emoción, el zumo ponderado de lo que fuimos en este sueño de la tierra, en el cual muchas de tus criaturas entramos como en un bosque ardiendo.

Y también el fuego de los sueños nos habrá purificado.

Hoy hice versos durante el ensueño. Y hubiera seguido, si no me sorprendo a tiempo. Fueron dos estrofas. La una era mía; la otra... de ella.

Decía yo:

Ser fiel es dar un ritmo tierno y serio a la vida.
Es hacer una fuerza nuestra debilidad...
Es pisar en la tierra firme y estremecida,
donde la vida encuentra la soñada unidad.

Y ella:

Camino por las calles recogida en mi orgullo,
en la altivez que sube de esta gran quemadura.
A nadie mirar puedo. Sólo siento el arrullo
de este amor que me enciende y eterniza en dulzura.

Ella hablaba de amor, no ya de amistad...

Pero... son sueños, Señor, sueños. ¡Y hasta Fray Rufino los tiene!

Estoy contento, y no sólo por haberla visto, sino por la esperanza de que haya ocupado ya todo su verdadero lugar.

Atravesaba yo el jardín, hacia la iglesia, recién desayunado, cuando el lego portero, que discutía entre los crisantemos con el hermano Juan, me llamó por una seña.

—En el locutorio —me dijo al tenerme cerca— la parienta suya, Padre.

—¿La de ayer?

—No, la jovencita.

—¿Sola?

—Sola.

¡Qué sobresalto, Señor! Temí que la emoción, y sobre todo la imprudencia de mi pregunta, me vendiesen; y decidí, para contrarrestar el efecto que pude causar a los hermanos, permanecer con ellos unos segundos antes de acudir al locutorio.

—¿Qué le sucede? —interrogué al hermano Juan.

Porque, en realidad, con la podadera entre las manos y dentro del capuz la frente densa de buen varón crispada en gruesos pliegues, tenía el aire de quien a duras penas sujeta el llanto.

—¿Por qué tan compungido, hermano?

Y sólo era que había sentido flagelarse a Fray Rufino. Parece que el Guardián le ha prohibido el ayuno durante un mes, y por eso —a eso le atribuye por lo menos él— se le despierta "el hermano asno" de nuevo.

—¿Quién le meterá —concluyó el lego al referírmelo—, quién le meterá a un santo como él en esta clase de tentaciones? ¡Ave María Purísima! Se está chiflando.

Y su dedo moreno fingió un taladro sobre la sien.

—No basta para ponerse así —he dicho al fin sonriendo al hermano Juan —. No hay santo sin su calvario. Y en último caso, el Padre Guardián piensa mucho en él ahora. No se alarme.

Luego los dejé.

En el locutorio, a esas horas muy oscuro todavía, cuesta descubrir a las personas; de manera que fue su voz la que salió primero a mi encuentro.

¡Ah!, la oigo, la conservo aún en los tímpanos, y sus palabras, todo como una música de agua fresca y presurosa: "Vengo de carrera. Va a empezar pronto la misa. Sólo quería saludarlo... ¡Uy!, de aquello no me pregunte. Usted se daría cuenta... ¡Es muy estúpida la gente! Aquel viejo chocho, ¿se acuerda?, el senador, el que traje a empeñarse con Fray Rufino... Pues al llegar a casa después se le ocurrió hacer bromas, comentar lo mucho que nosotros habíamos conversado, y nuestra confianza. Siendo amigos desde mi niñez, ¿cómo no íbamos a tratarnos así? ¡Ha visto! Y luego, tampoco se divisa la tal confianza. Pero a mi mamá, con lo odiosa que la tienen los años, se le puso entonces a decir tonterías. Que si esto, que si lo otro... ¡Tonterías! ¿No es ridículo? Al principio me fastidiaron, hasta me ofendí. Pero esto debía acabar. Y acabó. Sin duda se han convencido..."

Aquí le conté yo la visita de Gracia.

—¡Ah! ¡Comprendo! Por esto me han dejado en paz. Sí, Gracia también tomó la cosa por lo absurdo. Usted vería... ¡En fin! Más vale reírse. Ahora estoy tranquila. Y me voy. Sólo quería saludarlo. Ya tendré el gusto de volver a conversar con usted más largamente. Es decir, si me oye con paciencia. Porque deseo pedirle unos consejos, al amigo...

—A ver...

—No. Mañana. Eso sí, vendré antes de la misa, como ahora; un poquito más temprano mejor. Pasada la misa de siete, anda ya mucha beata rondando. Hay demasiados "viejos chochos" en el mundo que pretenderían manchar un sentimiento de amistad insospechable. Y para hablar queda tiempo...

Recuerdo que en este punto le dije:

—Una amistad fiel tiene siempre una vida por delante.

Y que entonces ella se ruborizó, llena de risa, explicándose.

—Si es que yo pensaba: ¿Qué se imaginará él, tan justo, tan cumplido, tan escrupuloso? Puede hasta herirse.

—Yo —le repliqué— soy un amigo fiel...

Y añadí algunas palabras sobre la amistad.

Por primera vez en toda la visita se animó en este momento a mirarme a los ojos. Sin embargo, nuestras miradas, apenas tomaron contacto, se retiraron. Natural: nos habían colocado en un tono equívoco esas almas superficiales.

Luego nos despedimos hasta mañana, y no hubo más.

Tampoco precisaba más. Fue un buen rato, una alegría. Y, según creo por las frases que acerté a pronunciar sobre la amistad, no sólo se han despejado los días futuros, sino que les hemos marcado un ritmo sereno de amistad tranquila e inalterable. Tengo fe ahora en que nuestro sentimiento perdure dentro de una pura y fiel amistad. ¡Una gran dicha, Señor! Porque no había de resultar yo, por cierto, ese "hombre sin conciencia que la perjudicaría", como dijo Gracia.

Pero, Señor, soy muy infantil en mis satisfacciones; cuando recorrí después la iglesia, mis pasos, delante de los altares, hacían retemblar los ornamentos y las aureolas metálicas de las imágenes.

Debo contenerme, vivir siempre conteniéndome.

No sé para qué anoto ya esto.

Ha sido absurdo. Ha sido trágico. Ha sido absurdo, trágico y grotesco.

Pero esta insensatez, esta escena de manicomio, es el fin.

Apenas entré al locutorio, junto con sentirme sumergido en esa oscuridad donde su voz debió mecerme, sufrí violenta la remoción de aquel tumulto. Un jadear angustiado, un grito que se aprieta y no logra salir, un último, desesperado forcejeo y un cuerpo que rueda y viene a parar contra mis piernas. Todo en instantes, en lo indispensable para que mi vista se acomode a la penumbra. Luego María Mercedes que apostrofa: "¡Bestia! ¡Bestia!", y huye despavorida. Lleva rasgado el corpiño; sus manos se agitan, son dos aspas blancas y enloquecidas en el aire negro; su devocionario ha caído y el chicuelo de una mendicante, que estuvo asomado al portón, lo recoge y corre tras ella. Nada más. Yo no consigo moverme. El espanto me paraliza, porque todo lo he comprendido: a mis plantas gime Fray Rufino y se retuerce.

Colérico, en una brusca reacción, empujo con el pie aquel bulto. Él vuelve a gemir. Lo cojo entonces por los hombros, lo alzo como un muñeco sin peso, lo remezco y me encaro con él:

—¡Qué es esto! ¡Qué ha hecho usted!

—Sí... Grite. ¡Grite! —dice, más bien exhala sin voz, semejante a un fuelle roto—. ¡Llame! A mí me faltan las fuerzas... ¡Ya pueden escupirme! Pregónelo... Yo, el "hermano asno"... Yo, el inmundo, que personifico la lujuria... No merezco esa reverencia... ¡Al fin quiso el cielo iluminarme! ¡La humillación al fin! Cuéntelo... ¡Pregónelo!... ¡Que todos los sepan! El "hermano asno", yo, he pretendido violarla...

Lo rechazo, indignado, rebelándome. Y se desploma, azota sus huesos y su cráneo flaco sobre el entarimado. Llora, y sus sollozos parecen estertores. En seguida lo arrastro hacia el claustro, a la luz, y llamo. Pero ni el hermano portero está en su cuartucho.

—¡Qué ha hecho usted, infeliz!

Ya no hablaba. Tenía las pupilas vidriosas y fijas en mí, descolgaba la mandíbula, con espuma las comisuras, y sus mejillas se inflaban y sumían agónicas.

Y en todo el patio nadie.

Hube de suspenderlo en brazos y correr con él hasta su celda.

Frente a la escalera, Fray Bernardo, que bajaba, nos siguió.

—Asístalo usted, Padre —le rogué cuando hube dejado el cuerpo sobre el camastro—. Yo voy en busca del Guardián.

A mi regreso con Fray Luis, había muerto.

—¿Qué ha dicho? ¿Alcanzó confesión?

—Nada. Y apenas murmuró algunas palabras sin sentido: "el capuchino"... "¡ejemplo, ejemplo!"... "vileza ostensible"... "el hermano asno"... "¿Ven? No merecía yo esa reverencia"...

Yo guardé silencio. No quise relatar lo que había presenciado. No habrían comprendido aquel delirio de humillarse. Sólo repetí haberlo recogido inerme del locutorio.

Los tres quedamos silenciosos un momento. Frailes y legos se fueron aglomerando en el patiecillo. Hacía sol, ardían los frutos en los naranjos y dentro de la celda la llama del cirio de bien morir parecía un ojo de fuego inclinado sobre el cadáver.

De pronto, Fray Bernardo se me acercó y me dijo al oído:

—Es muy extraño. O yo traigo un prejuicio aquí metido, o realmente cada vez que sus labios nombraron al capuchino ése, olió mal el aire. Un olor de azufre que duró hasta que le puse la cruz sobre el pecho. El Maligno lo ha perseguido hasta el fin, creo yo. Afortunadamente, el Maldito nada pudo contra esta santidad.

Un pensamiento irónico relampagueó en mi mente. Pero no llegué a formularlo; pues el Padre Guardián nos impartía ya sus órdenes:

—Hay que llevarle los santos óleos. Usted, Fray Bernardo, con el hermano Juan. Y usted, Fray Lázaro, disponga que doblen las campanas y se prepare un túmulo en la iglesia.

Obedecimos.

Pero a todo esto yo pensaba en María Mercedes. Esa criatura tan sensible, que se desmayó en la confirmación, ¿cómo estaría? Y podría venir alguien de su casa, de un momento a otro... Decidí rondar entre las puertas de la iglesia y del convento.

Empezaron a doblar. Ya la gente llenaba la portería. Oí contar al hermano portero en un grupo:

—Era un santo, ¡quién lo duda! Luego que expiró, se ha sentido en los aire una música dulcísima, como la de los ángeles en sus violas... Lo canonizarán...

Me aparté.

Por lo demás, acababa de divisar a la señora Justina y de resolver detenerla en la calle, no fuese a escandalizar ante el Padre Provincial y, sobre agravarse mi conflicto, el descrédito cayera sobre nuestra Orden. Era mi deber.

La señora traía una cólera ciega. Me afrontó luego que me tuvo delante.

—Calma...

—¡Qué calma! Tienen usted ahí un loco, un energúmeno, una canalla hipócrita...

—¿Quién?

—Ese Fray Rufino. ¿Qué es lo que ha hecho con María Mercedes? Ha querido infamarla.

—¡Oh! ¿Y ella dice eso?

—Ella no habla. Está muda. Y yo sé por qué. Se hace la que no puede hablar después del ataque que ha tenido.

Pero un chiquitín se nos apareció llevándonos su libro de misa y nos lo ha contado todo.

—Señora, Fray Rufino ha muerto. Yo ignoro lo que dice ese niño, que sin duda es muy pequeño y se equivoca. Y usted, si no respeta su religión, si desea enlodar una de sus órdenes más veneradas, venga con su cólera a nuestro convento. Pero si es una buena católica, medite primero.

La vi desconcertarse y ataqué de nuevo.

—Por amor de nuestra santa religión, señora, tenga prudencia. Y por respeto a un cadáver. Fray Rufino está muerto...

—O ha sido usted, entonces...

—Señora...

—Sí. Porque ella sola no se ha destrozado la ropa, ni el chico ha visto un fraile de humo echársele encima a la pobre criatura.

—Imagine, señora, que haya sido yo. Pero antes de proceder a ciegas averigüelo a María Mercedes. O que venga ella y diga...

—¿Ella? ¡No faltaba más! Ella no pisará ya nunca, en su vida, estas piedras, ni andará jamás sola en adelante. Usted era un peligro, bien lo decíamos.

—Señora, yo...

—Quiero hablar con el Provincial.

—Hable con María Mercedes primero, y no perturbe en un día como el de hoy nuestra casa. Por lo demás, nadie le creería esa locura. Fray Rufino, repito, ha muerto. Por él doblan, por él hay esta agitación devota. Y ha tenido una muerte seráfica que todos lloran edificados en la comunidad. Vaya y serénese ahora, será lo mejor. Luego, esta misma tarde, si usted lo exige, irá el Padre Provincial a su casa. Yo se lo prometo. Se explicarán; puede usted aún hacer que María Mercedes se confiese con él...

Gasté razones hasta persuadirla.

Pero el Padre Provincial la visitará esta tarde. Se lo

he prometido y lo cumpliré. De lo contrario, ella volvería. Por último, durante nuestro diálogo he visto que todo llega necesariamente a su fin, y a todo me hallo dispuesto.

He cumplido, Señor.

Hice al Provincial, en confesión plenaria, entrega de mis culpas, de mi secreto y del suceso que hoy lo complicaba, y sometí además a su poder mi suerte.

¿Habría otro camino que elegir acaso?

Las circunstancias lo impusieron, y bien lo había presumido yo a mi vez; era él quien podía resolver, ajeno al corazón y con cerebro claro, el único. A pesar de no haberlo yo tratado nunca a fondo, me lo definió siempre su figura: alto y derecho, seco y limpio, de líneas severas y elegantes, de color sombrío y gótico perfil. Cuando me recibió tenía la capilla a la cabeza, los antebrazos inmóviles y entrecruzados, y todo en él formaba una silueta grave, larga y reunida, de ojiva, en la que ponían toques de austeridad los ojillos penetrantes, los pies descalzos, las manos sin carne y la barbilla y la nariz emergiendo afiladas entre las sombras del capuz. Yo lo conocía, porque verlo es conocer su espíritu. No le inquietan las cuitas del alma; le preocupan sólo puntos de organización. Siempre dice: "Quiero que ustedes hagan esto. No quiero lo otro". Él siempre *quiere*. Y hube concluido, le bastó esta consulta para decidir:

No le vi descomponerse un instante, no le vi un gesto débil; nada más que pensar mientras yo hablaba. Y cuando hube concluido, le bastó esta consulta para decidir:

—¿Quiere usted continuar en nuestra Orden?

—Sí, Padre. Fuera de mi esperanza en Dios, nada puede quedarme.

Entonces se puso el sombrero y salió.

Una hora después me decía:

—Fui. Hablé primero con esa señorita, la confesé: He debido exigirle, en bien de su honor comprometido y por la culpa que a ella en especial le corresponde, que no mintiese, pero sí que se obstinara en el silencio. Y en defensa de nuestra Orden, sobre todo por el prestigio de ese santo, que precisa conservar, di a entender a la madre que usted ha sido el solo pecador. Luego le he añadido: "Tranquilícese usted, señora; Fray Lázaro partirá en estos días a una provincia lejana, con la consigna de no volver aquí. Me lo ha pedido él mismo". Conque ya lo sabe, hermano: dispóngase al viaje. Y sobre Fray Rufino, un secreto absoluto. Humíllese y comprenda...

—Sí, comprendo. Pero... una pregunta, Padre: Ella ¿qué dijo?

—Ella aceptó.

—Vuelva cada cual los ojos a su destino y cúmplanse los designios del Inexorable.

—Pero —me completó él, recalcando el pero— en honra y provecho para Nuestra Santa Madre Iglesia.

Amén. Deberá ser así.

Todo, Señor, ha terminado. Y estoy otra vez solo a tus pies. ¿Ves cómo también este sentimiento sería triste? ¿Ves cómo también ésta se fue? Ya estoy otra vez solo.

Oigo las campanas que no cesan de doblar. La iglesia rebulle y desborda de buenas gentes. Visitan el cadáver del santo; besan sus pies, cargándose de reverencia, y lloran. Frailes y legos discurren entre ellas y narran los hechos significativos de esa vida que no entiendo y, sin embargo, con tanta ternura seguí.

Todos allá, Señor. Únicamente yo permanezco aislado en mi celda, que ya empieza la noche a llenar. Espero un día, el de partir, y otro día, Señor, aquel en que habrás acogido mi sacrificio y me habrás hecho al fin un buen fraile menor. Hasta ese amanecer, mi vida, como ahora mi celda, estará minuto a minuto anegándose de noche.

ACTA EST FABULA